JN066392

ブノワ・フランクバルム
Benoît Franquebalme
神田順子／田辺希久子／村上尚子 訳
Junko Kanda　Kikuko Tanabe　Naoko Murakami

酔っぱらいが変えた世界史

アレクサンドロス大王からエリツィンまで

IVRESSES
Ces moments où l'alcool changea la face du monde

原書房

酔っぱらいが変えた世界史

アレクサンドロス大王からエリツィンまで

◆目次

第21章　モズドク（ロシア）　一九九四年一二月三一日

グロズヌイ攻撃は、ウォッカで大晦日を祝う宴席で決定された

ファニー、ユーリ、ローラにわたしの陶酔を捧げる。

「嫌なことがあれば、それを忘れるために飲む。
うれしいことがあったら、これを祝って飲む。
なにごともなければ、なにかが起こることを期待して飲む」
チャールズ・ブコウスキー『詩人と女たち』より

第*1*章

アフリカ
一〇〇〇万年前

ホモ・ノンベエラスに遺伝子変異が起きた

かぐわしい腐敗臭に惹かれて、一頭の雌ザルがアカシアの木から降りてくる。根もとには茶色く変色し、熟れてじゅくじゅくになった果実が落ちていて、そのまわりをハエやブヨが飛びかっている。雌ザルは巨体で怠け者だが、こうなればいたしかたない。乾季で落葉したアカシアの、樹上のお気に入りの枝から降りてこざるをえない。下まで来ると腐った果実を手づかみして、がぶりと食いつく。そのとたん、全身に心地よいけだるさが広がる。もはやアカシアの木に戻ることはないだろう。まさにこのとき、果実酒が発明されたのだ。

アルコールの摂取はヒトの進化を加速させた可能性がある。アルコールを摂取することで、一〇〇〇万年前にまずはわたしたちの祖先に遺伝子変異が起こり、その後の人類とその社会の発展に大きな影響をあたえることになった。先の雌ザルと同じようにアフリカにいたわたしたちのご先祖は、大幅な遺伝子変異のおかげで、アルコールにふくまれるエタノールをより速く分解（代謝）できるようになる。エタノールは果実にふくまれる糖分が酵母によって変化したもので、このプロセスを発酵とよぶ。

以上の遺伝子変異説のもとになったのは、科学史上の最高傑作ともいうべき名称をもつ学説、「酔っぱらいのサル仮説」だ。二〇〇四年、生理学・バイオメカニクスを専門とするカリフォルニア大学バークレー校のロバート・ダドリー博士が提唱し、二〇一四年に著書としてまとめられている。[1]

父親をアルコール依存症でなくしたダドリーは、人を破滅させるアルコールの魅力とはなにかをずっと考えつづけてきた。生物学者としてパナマの森林地帯で研究を行なっているとき、サルが微量のアルコールをふくむ熟した果実を食べるのを目撃し、天才的なアイディアを思いつく。進化とは、長い歳月にわたる二日酔いのようなものではないか、という考えだ。アルコール依存症の患者が酒ビンに手を伸ばしてしまうのは、エタノールを同化する能力が役に立った歴史があるからではないか。だがヒトがアルコール度数の高い酒を生産できるようになると、同化能力はかならずしもプラスばかりではなくなった。だから酒を飲む人間が悪いんじゃない。人間の遺伝子はお酒を好むようプログラムされているのだ。ロバート・ダドリーは、わたしたちを罪悪感から解放してくれたわけだ！

ダドリーの理論によると、わたしたちの祖先は熟した果実に自然にふくまれるエタノールの匂いと味を関連づけることを学習し、進化上の優位性を得たという。一般的に植物の組織にはグルコース、フルクトース、サッカロースなど、発酵によってエタノールを生み出す糖分がたっぷりふくまれている。ほったらかしにされたかわいそうなニンジンでさえ、アルコールを生じるのだ。

果実にふくまれるエタノールは重要なカロリー源で、しかも強い腐敗臭があるから霊長類にとっても探し出しやすい。こうした魅力があるから、人間はアルコールに惹かれ、乱用してしまうのだろう。大切なことだからもう一度言おう。アルコールはとても旨い。わたしたちの種は、遺伝的に「足をふらつかせる飲料」に引きよせられる傾向があるらしいのだ。ダドリーによると、わたしたちの祖先は早くからアルコールが精神におよぼす影響、すなわち冒険心を高める効果に気づいていた。エタノールはほかにも利点がある。果実が細菌で汚染されるのを防ぎ、食欲増進にもなる。そう、食前酒（アペリティフ）のように。さらに消化を助け、体内に脂肪をたくわえる働きもある。

とはいえ、発酵した果物を食べる動物はほかにもたくさんいたのに、なぜホモ・ノンベエラスだけが先頭を切ってアルコールを摂取するようになったのだろうか。それは長い歴史の過程でエタノールにふれつづけてきたため、相当な量の飲酒への耐性ができたからなのだ。

ただし、大陸ごとにアルコールの効果は同じではない。研究によれば、中国人・台湾人・日本人・韓国人はほかの民族に比べてアルコール代謝酵素の活性が低いことがわかっている。その結果、気の毒にもこの人たちは酒に弱い。ちなみにラオスの伝説では、タマリンドの木の根もとで酔っぱらっているサルを見て、アルコールが発明されたことになっている。

動物にも同じ不平等がみられる。マレーシアに住むネズミほどの大きさの小型哺乳類、ハネオツパイは、三・八パーセントものアルコールをふくむ、発酵したヤシの美酒を摂取する。これは人間でいえば、毎夜グラス九杯分のワインを飲んでいることになる。それでもこの動物を専門とする研究者によれば、体にアルコールの影響はみられないという。逆にイギリスのクロウタドリは、胃のなかに発酵した木の実がある状態で死んでいることがある。原因はアルコール中毒ではなく、酩酊状態で事故にあい、命を落としたとみられる。それだけではない。わたしたちと同じように、虫も絶望に駆られるとアルコールに頼るらしい。二〇一二年に学術誌「サイエンス」に発表された研究では、交尾できなかったオスのハエの前に、アルコールの入った餌と入っていない餌を置くと、交尾に失敗したハエはメスを獲得したハエに比べ、「アルコール入り」にまっすぐ向かう傾向があったという…

サルに話を戻そう。ダドリーと同じ分野の研究者のなかには、人間にはなにを食べるべきかを教える、栄養学的知恵が生得的にそなわっているという説を否定する人もいる。それによると栄養や健康とは関係なく、人間はたんに気分を変えてくれる物質を好むという。人間はミツバチも好物だ。ミツバチになんの関係があるのかって？　蜂蜜酒でも飲みながら、耳をかっぽじって聞いてほしい。

ミツバチがいなければ、ヒトの先祖は腐った果実以外のものから、エタノールを定期的に摂取することはできなかっただろう。養蜂の世界的権威である故ロジャー・モースは、愛しのミツバチが世界初の酒をもたらしたことを立証した。木の幹にあいた穴に蜂蜜と蜜蝋がたまり、そこに雨水が流れこんで、人類初の醸造所が生まれた。七〇パーセントの水で希釈された蜂蜜は、酵母によって発酵を開始。おいしい蜂蜜酒ができあがった。そして類人猿が魅力的な香りに誘われてこの酒を味見して仲間にも知らせ、やがて初期の酒へと発展していったのだ。

二〇一四年にロバート・ダドリーの学説を裏づけたのが、遺伝学者マシュー・キャリガンだった。約一〇〇〇万年前に起きた突然変異により、わたしたちの祖先のエタノール代謝能力が格段に向上したことが証明されたのだ。キャリガンによると、この突然変異でエタノールの代謝能力は四〇倍にも達したという。こうして人間は、お酒の力で進化を全うできるようになった！　この偉大な代謝能力がなければ、ホモ・ノンベエラスは酔った勢いで木から転がり墜ちたり、肉食動物がひそむ場所で泥のように眠ったりしていたおそれがある。つまり、ほかの「霊長類」が小石で木の実を割っているあいだに、ホモ・ノンベエラスは運命を切り開き、一〇〇〇万年ほどのちには酒を生み出すにいたったのだ。

最後に、人類が酒に出あうまでの道のりに関連する、もう一つの説を紹介しよう。わたしたちのもっとも有名なご先祖が、三〇〇万年前に不慮の転落事故で死亡したらしい、という説だ。人類学者ジョン・カッペルマンによると、アウストラロピテクスのルーシーは、捕食者からのがれようと身を隠したエチオピアの地の樹上から、転落死した可能性があるという。そして足、股関節、肋骨、肩、下顎、内臓を損傷した。落下距離は一二メートル、落下速度はおよそ時速六〇キロと推定され、致命的な転落だ。足から落下したらしく、膝のけがから、着地したあと体が右にねじれたようだ。

ルーシーは冒頭に紹介した雌ザルのように、発酵した果実の魅力に負けたんだ、ばかだな、とは言わない…それにしても、である。カッペルマンによる転落の記述によると、ルーシーは最後の瞬間まで意識があり、腕を使って転落の衝撃をやわらげようとしたらしい。キリストは、姦通の罪に問われた女を石打ちで殺そうと集まった人たちに、「罪を犯したことのない者が一番に石を投げるとよい」と言った。キリストにならい、「酩酊してぶざまに転び、起き上がろうとしたことのない者だけがルーシーをばかにするがよい」と言っておこう。ついでにもう一つ、状況証拠をあげておくと、いちごのリキュール一五ミリリットルと桃のお酒二〇ミリリットルでつくるおいしいウォッカ・カクテルは「ルーシー・ラブ」とよばれているが、これはわれらがルーシーが酔っぱらっていた証拠ではないだろうか。

〈原注〉

1　*The Drunken Monkey : Why We Drink and Abuse Alcohol.* Robert Dudley. University of California Press. 2014.

第2章

中近東
前八〇〇〇年
「パンじゃなく、とりあえずビール」

前八〇〇〇年、ネゲブ砂漠（現在のイスラエル）を行く旅人を想像してほしい。お腹を空かせ、通りすがりのナトゥーフ人遊牧民に食べものを乞う。礼儀正しい遊牧民は、おいしい冷えたビールを差し出してくれる。旅人は喜び、満足し、あいさつをして元気よくふたたび目的地へと向かう。

先を続ける前に、以上の牧歌的なプロローグはやや脚色されていることをお断わりしなくては。まずナトゥーフ人が好戦的な態度をとったとしても不思議はなく、旅人を助けるよりフリント石器の鎌で頭をたたき割っていた可能性も大いにある。次にネゲブ砂漠のど真ん中で、ビールが冷えていたはずがない。しかも、ひどい味だっただろう。とりあえずビールとよんでいるものの、当時は発酵の不完全なドロドロした液体状のものだった。とはいえ、最近ではビールのほうがパンより先に発明されたと考える研究者が増えている。アングロサクソン諸国では「ビールが先でパンがあと」説とよばれ、皆に愛される飲料・ビールが前八〇〇〇年頃の新石器革命の引き金になったとさえいわれている！

この考え方は新しいものではなく、一九五三年一〇月にはアメリカで「人類はかつてビールだけで生きていたのか」という大真面目なシンポジウムが、これも大真面目な学術誌「アメリカン・アンソロポロジスト」で展開された。同誌上で蝶ネクタイをしめたおえらい学者さまたちが、パン派・ビール派に分かれて熱い議論を闘わせたのだ。

パン派を率いたのはロバート・ブレイドウッド（一九〇七―二〇〇三）。映画『インディー・ジョーンズ』の登場人物アブナー・レイヴンウッド（ハリソン・フォード演じるインディー・ジョーンズの恩師・義理の父）のモデルといわれるアメリカの著名な考古学者だ。一方でビール派を率いたのは地理学者のジョナサン・D・サウアー（一九一八―二〇〇八）である。ブレイドウッドによれば、中近東における野生穀物の栽培化は、パンの原料粉の生産のためだったという。対するサウアーは、栽培穀物の登場はビール製造を視野に入れたものだったと主張。穀物の種子を発酵させた、栄養価が高く、大いに英気を養ってくれるドロドロの液体の発見があって、そのあとに製粉や製パンの発明が続いたというのだ。

サウアーを支持したのが植物学の権威、ポール・C・マンゲルスドルフだ。彼もまた、当初はパンをつくるためより、醸造のために穀物を利用したと主張した。飢えより渇きのほうが動機として強いからではなく、中近東で入手可能な初期の穀物が、パンよりビールに適していたからだ。スペルト小麦（パン小麦の原種）、ヒヨコマメ、亜麻とならび、野生の小麦や大麦は、穂先を切ったあと、苞葉（穀粒を包む緑色の葉状のもの）が密着しているのが特徴だ。こうした殻つきの穀粒は、さらなる処理をしなければパンを作れない……だが醸造にはなんら問題はないのだ。このためビールがパンより三〇〇〇年も先行すると推定する人類学者さえいる。ただし、年代を確定するのは正直、きわめて困難だ。一方で、遊牧から定住への移行が穀物栽培（この場合はビール製造）のためだったことはほぼまちがいない。こうした定住への移行が、いわゆる「新石器革命」である。

だがおのおのがた、興奮して喉を鳴らすのはまだ早い。初期のビールは未発酵の穀物からつくられ、現代のビールのように洗練されてはいなかったからだ。発酵は穀物に自然にふくまれるわずかな糖分で起きるのみ。マンゲルスドルフも、ビール好きの人々をこうしなめていた。当時の製法ではアルコール度数は低く、どちらかというとオートミールに近く、ポイ（ハワイの伝統料理に使われる発酵液）やペルーのチチャ・デ・ジョラ（みなさん方のお子さんが、ラッパーのブーバを聴きながらこっそり吸っている水パイプとは違うので悪しからず）に似ていた。マンゲルスドルフは茶目っ気を発揮して、醸造が火の使用にさえ先行すると考えた研究者もいたと指摘しているが、そこまで言うのは極論だろう。

このシンポジウムから七〇年近くたった現在、サウアーに追随する研究者はますます増えている。一九九二年には考古学者のブライアン・ヘイデン[1]が、農業はライバルや信奉者に力を誇示する欲求につき動かされてのものだと指摘。だから多くのアルコールを生産して、大宴会を開く必要があったというのだ。ビールを「液体のパン」とする考え方を継承したのは、古代飲料を専門とする米ペンシルヴェニア大学の生体分子考古学者、パトリック・マクガヴァン教授だ。二〇一一年にアメリカの雑誌で、「酒のインディ・ジョーンズ」とまでよばれた人物で、酒は「社会の潤滑油」であり、「思考に変化をもたらす刺激薬」だと考えている[2]。

マクガヴァン教授の趣味は古代の飲み物を再現することだ。著書『古代ビール――再発見と再現（*Ancient Brews: Rediscovered and Re-created*）』（W. W. W. Norton & Company, 2017）では、二〇〇三年に中国・河南省で発見された壺から採取された混合物を現代に甦らせた。人類史上初のこのカクテル（前七〇〇〇年）は野生のブドウ、サンザシの実、コメ、蜂蜜を原料とし、菊の香りのするグロッグ（ラム酒のお湯割り）のようなものだった。前八〇〇〇年頃に酒を入れる土器が発明されたことは、カクテル好きの古代人には心強い援軍だった。

その後、デンプンを糖に変えて発酵をうながすため、人類は穀物に唾を混ぜるようになる。唾液に特殊な酵素がふくまれているからだ。酒づくりには創意工夫が欠かせない。前五四〇〇年にはテレビンの木の樹脂が防腐剤として使われるようになった。さらに前三四〇〇年のシリア北部のテルバジでは、どの家でも巨大な粘土製の壺（容量二〇〇リットル）でミニ醸造が行なわれていたと聞けば、ヒップな髭面の現代のビール職人たちもニンマリすることだろう。

前四〇〇〇年紀以降、もっともさかんにビールを醸造しはじめたのはメソポタミア人だろう。そのことを裏づけるのが前三八〇〇年頃の印章だ。イラクのモスル近郊、テペ・ガウラで発見されたこの印章には、ストローを使って気持ちよさそうにビールを飲む二人の人物が描かれている。

ドイツの考古学者アーデルハイト・オットーは、穀物の発酵によって生まれる必須栄養素、とくにビタミン類が身体の健全な成長を可能にしたのではないかと推測する。そして前三四〇〇—三三〇〇年頃に人類初の文字体系が出現するのも、まさにこのメソポタミア（現在のイラク・北西シリア・南東トルコにあたる地域）なのだ。

事実、前一八世紀のシュメール人（メソポタミアの多くの民族の一つ）は、ビールの女神ニンカシ（文字どおりは「口を満たす女性」の意）に賛歌を捧げている。ニンカシはエンキ（地下の淡水をつかさどる最強神）の娘だ。シュメール語の影響を受けたアッカド語で、ニンカシは「発酵」を意味し、「泡だつ」女神シリスの母、水と火（ブランデーみたいなもの）を吐くズーの祖母にあたる。粘土板にきざまれたこの賛歌から、ビール製造のさまざまな段階をたどることができる。メソポタミアでは「パン」「ビール」という言葉は「食べる」「飲む」と同義語だった。シュメール語で「宴会」は「ビールとパンの場所」という意味だ。とはいえ、酒心だけでなく歌心もある人たちのこと。数世紀後には「ぶどうの女神には甘いワインがある／その陰部は堀、そのワインは甘い[3]」という賛歌が歌われている。

何世紀ものあいだに、メソポタミア人は酒造法を改良していった。酵母を変えたり、ハーブをくわえたり、発酵時間を長くしたり短くしたりした。前二〇〇〇年紀の文書には、透明のビール、黒ビール、赤ビール、スペルトビール、最高級ビールなどについての記述が残っている。その後、ナツメヤシでつくったビールも現われた。

当然、メソポタミア文学の最高傑作『ギルガメシュ叙事詩』にも、ビールはたびたび登場する。ギルガメシュの友エンキドゥは、ウルクでビールを飲んで人間になった。「人間と暮らすには酒を飲まないといけない。それが習わしだ」と教えられたのだ。そこでエンキドゥが七杯飲みほすと、心が弾み、魂は喜び、精神はリラックスし、顔は明るく輝いた。『ギルガメシュ』には異本があるが、ある版では住民たちがこうも語りかけている。「パンを食べなさい。でも生きたいならビールを飲みなさい」と。

〈原注〉

1 *Transitions to Agriculture in Prehistory*. Prehistory Press. 1992.

2 *Ancient Wine : The Search for the Origins of Viniculture*. Patrick E. McGovern. Princeton University Press. 2003.

3 *Empires of the Word : A Language History of the World*. Nicholas Ostler. HarperCollins. 2006.

第3章

エジプト
前二六〇〇―一三〇〇年
神泡の立つピラミッド

まずはちょっとした計算からはじめよう。クフ王のピラミッドは紀元前二六〇〇年から二五五〇年のあいだ、二〇年をかけて建設されたというのがエジプト学者の一致した見方だ。一日一万人が動員され、毎日五リットルのビールが支給された。一万人×五リットル×三六五日×二〇年＝三億六五〇〇万リットルものビールが、この工事だけで消費された計算になる。しかも当時は何百ものピラミッドや何千ものモニュメントが建造されたのだ！　ナイル川の流量は平均毎秒三〇〇万リットル。したがって一三〇〇年ものあいだ、ファラオの地にはもう一本の川、すなわちビールの川が流れていたといっていい。

クフ王のピラミッドに話を戻すと、周辺にすくなくとも一個所の醸造所跡が発見されている。ピラミッドの建設現場は労働者が働き、食べ、眠り、飲む、まるで一個の都市のようだった。労働者のほとんどは給料をもらっていて、奴隷ではなかった。その多くはナイルの氾濫で手もちぶさたの、失業状態の農民たちだった。ビールが勤労意欲を高めるだけでなく、賃金がわりでもあったことは、発見された粘土板から明らかだ。古代エジプトでは、ファラオから庶民にいたるまで、ビールはだれもが飲む国民的飲料だった。とくに古王国時代（前二七〇〇―二二〇〇）のマスタバ（葬祭用の食具）にはよく登場する。エジプト人はビールにかんしては大真面目で、農耕神にして冥界の支配者でもあるオシリスが発見した飲み物と考えていた。

二〇一一年の「スミソニアン」誌のインタビューで、〝ビール考古学者〟を自負するパトリック・マクガヴァンはこう語っている。「ビールは栄養源であり、気分転換のための清涼飲料であり、重労働のごほうびでもあった。ビールという給料。それがなければ反乱が起きていただろう。十分な量のビールがなかったら、ピラミッドは建たなかったかもしれない」。これまで見つかったビール製造にかんする文書は、醸造所の責任者や経理担当者が会計・管理・技術を記したものがほとんどだ。具体的にいうと、労働者は一日あたり三、四個のパンと、ジョッキ二杯分（計四―五リットル）のビールを受けとっていた。ということは、酔っぱらってもめごとを起こした者もいたことだろう。

支給されたビールの度数はせいぜい二―三度と推定されている。度数は低いが「非常に高かったとの説もある」、つねに巨大な石を扱うことから事故は多かった。ギザでは労働者や職人の墓が六〇〇基以上発見されている。病院もあり、四肢を切断する者も多かった。王家の谷の墓廟を掘削していた労働者たちは、年一〇週の休暇のほか、ビール自家醸造用の大麦の支給を受けられるという特権も得ていた。

こうしたアルコールとの浅からぬ縁は、労働者たちの墓場にまでもちこまれた。エジプトでは二〇一〇年、ギザのピラミッド建設に雇われた労働者の、四〇〇〇年以上昔の墓が公開された。日干しレンガでできたこれらの墓では、乾燥した砂漠に十数の遺体が埋まっていた。かたわらには、来世での生活のためにビールやパンを入れた容器が置かれていた。当時のビールは非常に腐りやすかったため、材料や製造法を記した文書まで埋められていた。アメンホテプ二世の大侍従ケンアメンのフレスコ画（前一六世紀）には、地ビールを製造するようすが描かれている。ことアルコールにかんしては、貴賤の区別はなかったようだ。

建設現場では、ビールやパンが貨幣がわりに使われ、書記が酒・パン・穀物の交換比率を決めていた。クリスティアーヌ・デロッシュ・ノブルクールが書き起こした以下の訓示の手紙によれば、書記たちはかなり恵まれていたようだ。手紙は主人が書記に書き送ったものだ。

「聞くところによると、おまえは筆記の仕事を怠り、快楽に身をまかせているという。酒場から酒場をわたり歩いている。ビールがおまえの人間としての尊厳を失わせ、心を迷わせている。（…）ああ、酒が忌むべきものであることをわかってくれるとよいのだが。そうすれば甘美な酒を呪い、ビールのことばかり考えず、外国の酒を忘れるであろうに[1]」

その一方で、酒に強い者は大いに尊敬された。クフ王の治世を記したウェストカー・パピルスには、一一〇歳の男が毎日五〇〇個のパンと牛半頭分をたいらげ、一〇〇本のビールを飲み干していた話が感嘆とともに語られている。また高級ビールは地位の高い人々のためのものだった。アビドスにあるファラオ・スコルピオン一世（前三二〇〇年）の墓からは、ワインやビールを入れる壺が多数発見されている。

かくも〝泡立つ〟環境では、当然ながらビール醸造家は非常に重要な存在だった。そのことを証するのが、第五王朝（前二四〇〇年）時代のもので、一九六八年にエジプトからユネスコに寄贈された「ビール醸造家」とよばれる彫像だ。ユネスコのウェブサイトで写真を見ることができる。石灰岩製と思われ、がっしりとした体格に描かれている。いかめしい正面向きの坐像は、ファラオ夫妻や高官の像と通じるものがある。台座に象形文字があり、〝ftymhy〟という名だったことがわかる。ただしこの職業に失敗は許されなかった。悪質な醸造家は、自分のつくったビールのなかで溺死刑に処せられた。粗悪な酒を売った者は、死にいたるまでこれを飲まされた。またカイロのエジプト博物館を訪れる機会があれば、ギザで発見された前二三六〇年頃の「ビールをつくる女性像」も見ておきたい。その恍惚とした表情を眺めていると、ナイル川のほとりでいまも醸造されている古代ビール「ブーザ」を飲みたくなってくる。

神聖な飲み物だったビールは、当初はヘネプトとよばれ、前四世紀のプトレマイオス朝以降はズトスとよばれるようになった。原料は大麦、小麦、ナツメヤシだった。エジプトの文献にはすくなくとも一七種類のビールが記され、「美しく旨い」「天空」「喜びをまくもの」「食事のお供」「豊穣」「発酵」など、シュワシュワとはじけるようなネーミングがなされている。[2] ビールにはおもに四つの系統があった。zythum（文字どおりは「大麦ワイン」の意。もっとも普及していたライトビール）、dizythum（より強いビール）、carmi（甘いビール）、korma（ジンジャービール）である。エジプト南部のヌビア人のあいだでは、知らず知らずにビールが病気の治療に役立っていた。ミイラの骨の分析でも、ビールの原料である穀物から生成される抗生物質、テトラサイクリンが多く検出されている。

当然のことながら、建築事業でもっとも有名な王は、ビールづくりでも傑出していた。ラムセス二世（前一三〇四―一二一三）は、エジプト学者のあいだで「醸造家ファラオ」とよばれている。このファラオはビールを神聖視し、黄金の杯でこれを飲んだ。アモンラー神を崇拝し、アンフォラ（ビール用の水差し）四六万六三〇八個分のビールを奉納したこともある。約一〇〇万リットルに相当する量だ。

水質が悪いため、エジプト人は好んでビールを飲んだ。自宅でもビールをつくり、建設現場で働く労働者たちが通うビアハウスは、中近東のエキゾティックな雰囲気たっぷりのキャバレーや売春宿もかねていた。腰や太ももに入れ墨をした妖艶な遊女たちの体にしたたり落ちるほどに、ビールがふんだんに供された。エジプトの東隣バビロニアの『ハンムラビ法典』は、「女性がビアハウスに入るのは不道徳な行為」と戒めている。

ビールから得られる収入を確保するため、ラムセス二世は国営の醸造所をつくってビールづくりを独占した。南部にあるヒエラコンポリスの醸造所では、前四世紀に日産一〇〇〇リットル以上のビールを生産していた。こうしてファラオは建築現場の監督や兵士、神官に無料でビールをあたえることができた。

ラムセスの建設事業はテーベ、カルナック、メンフィス、ブバスティスを中心としていた。テーベに建てられた王家の葬祭殿「ラメセウム」は、古代エジプト学の父シャンポリオンによって「数百万年の城」とよばれた。その建設に何千人もの労働者が動員されたから、文字どおりビールやワインの匂いが充満していたことだろう。考古学的発掘調査によって、ラメセウムの建設にたずさわる職人たちが住むディール・エル＝メディナの集落でワインが支給されていたこともわかっている。これはラムセスを名のる一一人のファラオ以降、ワインも大量につくられるようになったためだ。歴代のラムセスは肥沃なナイル川デルタ地帯の出身である。ディール・エル＝メディナで発見されたヒエログリフ（神聖文字）によると、歴代のラムセス治下では、ワインはビールの五倍から一〇倍も高価だった。

それでもファラオたちはワインの大衆化に熱心だった。ラムセス二世より三〇年後のラムセス三世の時代には、アメン・ラー神殿だけで五一三か所のブドウ園を所有していた。ラムセス三世はみずからの事業についてこう語っている。「わたしは南部と北部のオアシスにブドウ園をつくり、南部地方にも多くの果樹園をつくった。デルタ地帯のそれを何十万倍にも増やし、外国の捕虜のなかから選んだ者に面倒を見させた[3]」

こうして供給が大幅に増え、ワインの消費も拡大した。すでにセティ一世（ラムセス二世の父）の時代には、ゲベル・シルシラ南部の採石場で何千人もの労働者がワインをふつうに飲んでいたという、王家の使者の報告が残されている。さらにワインは輸出され、アリストテレス、ソフォクレス、アイスキュロス、ヘロドトス、アテナイオスなどの著作に登場する。一方で古代ローマの歴史家・地理学者ストラボンは、ギリシアに送られたペルーサ（現ポートサイド）の「大麦ワイン」を絶賛している。

しかし歴代ラムセス王のアルコール好きが万人に共有されていたわけではない。当時の倫理を説いた『アニの教訓』には次のように書かれている。

「ビールの誘惑にひきずられてはならない。自分が考えているのとは逆のことを口にしてしまう。自分が話したことも忘れてしまう。足がふらついて倒れても、だれも手を貸してくれない。そしていっしょに飲んでいた者たちも立ち上がって言う。『この酔っぱらいを追いはらえ』と。だれかが助言を求めにやってきて、あなたが倒れているのを見たら、まるでみじめな子どものように見える」

こんな無粋なことを言い出す者がいたら、どんなすばらしい楽しみも終わりになってしまう。七世紀以降はエジプトのイスラム化にともない、アルコールの消費量は減少した。ワイン（アラブ人はハムルという）などは原則的に禁止されている。飲んだ者は笞打ち四〇—八〇回を受ける。金持ちのエジプト人は加熱処理した甘いワイン、干しぶどうやナッメヤシ、蜂蜜のワインを飲むことができたが、それも一〇〇九年以降は禁止された。
この時代から見ると、ピラミッドなどの大規模な墓廟の建設は遠い昔の話になる。そこで懐かしく思い出されるのが、ロンドンの大英博物館に保存されている、葬儀神官ホレムケネシの「欠勤簿」だ。ホレムケネシはラメセウムで働く労働者四〇人を監督していたが、半年間で皆勤はわずか二人だったと嘆いている。残りの三八人の欠勤理由はさまざま。上司や同僚への「奉仕」、詳細不明の「体調不良」、妻や娘の生理痛、そしてずばり、ビールづくりや二日酔いである。

〈原注〉

1 *La femme au temps des pharaons*. Christiane Desroches Noblecourt. Stock. 2001.
2 *L'histoire du monde en six verres*. Tom Standage. Kero. 2019.
3 *La vie quotidienne en Égypte au temps des Ramsès*. Pierre Montet. Hachette. 1946.

第4章

バビロニア（メソポタミア）
前三二三年

アレクサンドロス大王、三二歳で深酒により落命

これほど不幸な結末になっていなければ、本章は投げられてぐしゃっとつぶれたリンゴの話で終わっていただろう。時は紀元前三二八年の初め、現サマルカンド州（ウズベキスタン）でのこと。征服した都市を離れるときはいつもそうするように、アレクサンドロスは現地の宮殿で盛大な宴会を開いた。側近たちにとってこの夜は特別なものだった。知事

に任命されたクレイトスがそれ以後の遠征からはずされるためだ。大王の幼なじみ（乳母の弟）であるクレイトスは、この決定に不満をいだき、五〇歳にして大王の不興を買ったのではと恐れている。二二歳年下のアレクサンドロスがクレイトスが死ぬ夢を見て、彼を守るために遠ざけようとしているとは知らなかった。

当時、アレクサンドロスはペルシアを撃破し、エジプトのファラオとなり、いまやインド遠征にとりかかっていた。得意の絶頂にある大王は、側近もふくめだれもが自分にひざまずくことを求めた。暦の上ではディオニュソスの祝日だったが、自分はこの神の生まれかわりであり、自分を祝うことになるからと祝祭を行なわなかった。謙虚さに欠けるこの態度にクレイトスはいらだち、（大量のワインが供されたことも手伝って）宴会は大荒れとなった。不孝者のアレクサンドロスは宴席の人々とともに酩酊し、ほかならぬ父マケドニア王フィリッポス二世をバカにした。軍人として無能だったというのだ。廷臣たちは大王の言うがままに、たしなめもしない。このときの顛末は、モーリス・ドリュオンの『アレクサンドロス大王――ある神の物語（*Alexandre le Grand ou le Roman d'un dieu*）』（Del Duca, 1958）に再現されている。

ワインの酔いがまわったクレイトスは怒りを爆発させる。「フィリッポスは偉大な王、偉大な人物だった。アレクサンドロスにまさるともおとらない、数々の勝利をあげている。

フィリッポス王がギリシアを征服しなかったら、いまのわれわれはいないし、アレクサンドロスの名が知られることもなかっただろう。自分をはじめとする人々がいなかったら、大王はハリカルナッソスを占領することも、ヘレスポントス（ダーダネルス海峡）を渡ることもできなかっただろう」と。そして軽率にも、悲劇作家エウリピデスの有名な一節を引用する。「血を流して勝利を勝ちとるのは軍隊だが、忌まわしい慣わしによって、戦勝記念碑に記されるのは勝った王の名だけだ。得意の絶頂にある王は臣下を軽んじる。臣下がいなければ、王は何ほどのものでもないのに」。クレイトスは大王がペルシア人をまねて女装していることも非難する。怒った大王が皿のリンゴをつかんでクレイトスに投げつけると、リンゴはクレイトスの頭にあたった。

リンゴを投げつけられたクレイトスは、あいかわらず強情な態度で、ますます怒りをつのらせた。「あなたは女の乳、わたしの姉の乳で育ったのに、忘れたのか。神どころか一人で立つこともできず、わたしが抱いてやったのに[1]」。この言葉の裏には、酔っぱらったアレクサンドロスがたびたびクレイトスに介抱されていたという事情もあった、と思われる。だが征服者アレクサンドロスに感謝の念はわかず、酔いのほうが上まわった。いきなり護衛の手から槍を奪う。ヘファイスティオン、プトレマイオス、ペルディッカス、レオンナトスら、宴席につらなる側近たちが止めたにもかかわらず、大王はクレイトスを追って宮殿の廊下に飛び出す。「裏切り者はどこだ」。クレイトスはまたも主君を挑発した。「わたしはここにいる、クレイトスはここにいる！」大王はクレイトスに向かって槍を投げた。とどめの言葉とともに。「ならばフィリッポス、パルメニオン、アッタロス（いずれも大王が殺害したとされる人々）の後を追え！」クレイトスは倒れ、絶命した。

人をあやめたことの重大さに気づき、酔いは一挙に覚めた。「いやだめだ！　こんな恥ずかしいことをした自分に、もはや生きる資格はない！」と悲痛な叫びをあげる。槍を壁に立てかけ、自分の体を刺しつらぬこうとした。それから三日のあいだ、なにも食べず、眠らず、体も洗わず…酒をいっさい断った。酒を断ったということは、心の底から後悔したということだ。流血の張本人が、被害者のために盛大な葬儀を行なったのである。

ここまでの物語では、アレクサンドロスには遺伝の影響が色濃くみられる、といってよい。父親は、自分の子どもたちにつねに不満をいだき、トラウマを植えつけてしまうような男だったし、兄には知的障害があった。そして母は…アレクサンドロスに、おまえはゼウスの子だ、と告げ、父を憎むよう仕向けた。くわえて大王の師だった偉大な哲学者アリストテレスも、ペルシアを滅ぼしてアキレウスの墓をとりもどすよう励ました。かくて大王は征服にとりつかれた。だがそれだけでなく、アルコールも報復行為の原動力になっていた。「選ばれし者」である大王の遠征軍には、酔いにまかせての暴力がつきものとなっ討ちである。

アレクサンドロスさまご一行の乱痴気騒ぎは伝説となった。なんとペルシア帝国の行政都市スーサでも、前三二五年から三二四年にかけての冬、四二人の兵士が酒飲み競争で命を落としている。優勝したプロマコスは、薄めていないワイン一三リットルを飲み干して死んだ。大王が酒に強いことはよく知られていて、アテナイの喜劇作家メナンドロスも、登場人物の一人に、「君はアレクサンドロス王より飲める」と言わせている。

クレイトスの死後、得意の絶頂にあった征服者はますます酒と遊蕩におぼれていく。インドや中央アジアにアヘンをもちこんだのも、アレクサンドロス大王だといわれている。現実から逃避する大王の姿を、歴史小説家ミシェル・ド・グレースがみごとに描いている。[2]

「当初、アレクサンドロスは自分にはなんでも許される、夜な夜な酔いつぶれ、セックスにおぼれてもいい、と信じていた。その後、中央アジアの高地に遠征すると、不品行は悪の域に達し、自制も節度もきかなくなった。放蕩は自己破滅的なものになった。承知の上で限度を超え、意識を失い、命を落とすことさえいとわなかった。誰彼かまわず命を奪い、男とも女とも、無差別に、精根つきるまで愛しあった。酒に力を借り、放蕩でとことんボロボロになって、永遠の休息にいたることを望んだ。だが酔いから覚めると、倦怠感で立つこともできず、絶望はさらに深まった。その退廃的行動は決して弱気からではなく、一貫して意図したものだった」

ローマの歴史家クィントゥス・クルティウス・ルフスは著書『アレクサンドロス大王伝』で、すべての原因はペルシア文化にあるとし、「ペルシア軍の武器には負けなかったが、その悪徳によって倒された」と述べている。大王の凋落は、じつは前三三一年のバビロンの占領からはじまっていた。〝アレックス〟はそこで放蕩の味を覚えた。何週間にもわたって、快楽とワインと愛の都にとどまった。クルティウスによれば、昼夜をわかたぬ宴会ざんまい、常軌を逸した飲酒・夜遊び、そして遊興と高級娼婦の群れに大王はおぼれた。捕虜となった人々に、「外国人から見ると野卑でショッキングな」ペルシア風の歌をうたわせた。まさにバビロンはその悪名を裏切らなかったといえる。同じくクィントゥス・クルティウスによれば、対価を得られるならば、親や夫が娘や妻を占領軍に売春婦として差し出すこともあった。卑劣だが計算高いバビロニア人は、宴席の終わりに妻が上半身や下半身をさらすことを許した。わが身を辱めたのは高級娼婦でなく、身分の高い女性や娘たちであり、公衆の面前で自分の体を辱めるのは礼儀にかなうこととされた。

将兵たちはアレクサンドロスを飲んだくれとみなし、陰謀や反乱が頻発するようになる。酒の影響や苦悩が重なり、大王は残忍さを増していく。前三二四年には「寵臣」であり、幼なじみであり、将軍でもあったヘファイスティオンが死ぬ。プルタルコス『英雄伝』によれば、ヘファイスティオンが高熱を出したため、医師グラウコスが厳しい食事療法を指示した。ところがヘファイスティオンは去勢鶏のロースト一羽分と冷たいワイン一本という食事をとり、数日後に亡くなった。悲嘆にくれるアレクサンドロスは、すべての音楽を禁止し、軍馬の毛を刈り、地元の町々の城壁を破壊し、コサイア人たちを虐殺。そして哀れなグラウコスを十字架刑に処した。ヘファイスティオンの死後、大王はバビロンに戻り、そこでみずからも死を迎える。

大王の死をめぐる古文献の記述はさまざまである。しかし事件が友人の一人、テッサリア人メディオスの家での大酒宴の後に起こったという点は一致している。また古代ギリシアの歴史家シケリアのディオドロスによると、大王は何杯も飲み干したあと、「強打されたかのような激痛に襲われた」という。プルタルコスによると「一晩中、そして翌日も飲みつづけたあと発熱した」という。その一〇日後、おそらくは前三二三年の六月一三日、アレクサンドロスは亡くなった。大王の留守をあずかり、マケドニア本国の摂政をつとめていたアンティパテロスが、ワインに毒を盛ったとの説もある。

法医学者で古病理学者でもあるフィリップ・シャルリエは、乱れた生活や異国への遠征の結果、複数の寄生虫による「多寄生虫症」をわずらっていたと考える。二〇一七年に発表された研究では、[3] 長年の不節制が急激に悪化したと分析している。「宴会が多く、大量のアルコールを摂取し、徹夜も多かった。（…）体には大きな負担がかかっていた。現在の基準でいえば、危険な食習慣や生活習慣をもっていたといえる。こうしたハビトゥス（個人の生活習慣）が、二週間にわたる発熱の遠因になっていたと思われる。（…）征服者の人生だから当然のことだ。もしわたしが病院のカンファレンスで、アレクサンドロスの症例を説明するとしたら、『若い男性、三二歳、長距離移動が多く、生活習慣が不規則、慢性的アルコール依存、多寄生虫症』と言うだろう」。では昔から根強い、てんかん説は？フィリップ・シャルリエは、「完全なアルコール漬けというより、そう言ったほうが穏当で体裁がよいだけ」と切ってすてる。また、バクトリア王女ロクサネやペルシア王女スタテイラ（ダリウス王の娘）など、この放蕩者が愛人にした女性たちをとおして性病にかかっていた可能性もある。あるいは最愛のヘファイスティオンをあげるまでもなく、男性の恋人からの感染もありうる。

こうして酒豪アレクサンドロス大王は、ローマとの真っ向勝負にいたる前に死んでしまった。東西の文化を融合させようとした彼は、後継者も息子もなく去った。死の床で相続人の指名はなかった。「だれが統治するのか」との問いに対する答えは、「あなた方のなかで最強の者」だった。その結果、将軍たちのあいだで戦争が起き、大王が残した帝国はあっというまに分裂していった。

大王が三二歳という若さで死んでいなかったら、どうなっていただろうか。アラビア半島に進攻しようとしていたことは確かだ。東の次は西に興味をもっただろうことも想像にかたくない。地中海、カルタゴ、スペイン、シチリアは約束されたようなものだった。草創期にあったローマ共和国は、この強大なライバルの前では繁栄を築けなかっただろう。幸運なことに、ローマが第一次マケドニア戦争を戦うのはずっと後（前二一二—二〇五年）のことである。この間に国力をつけたローマは、この戦争に勝利する。

つまりアルコールのおかげで、現代のわれわれはギリシア語を話したり、ギリシアの地酒ウーゾを飲んだり、大勢の神さまを拝んだりせずにすんだのだ。だから大王が残した偉大な遺産よりも、彼の酒臭い影響でその後の世界がどう変わったかを詮索せずにいられない。たとえば大王の東征以後、中央アジアで東西貿易を担うようになるソグド人がワイン製造技術を中国に伝え、中国では「酒后吐真言（本音は酒で明らかになる）」ということわざが生まれる。現在、中国ではワインをレモネードやソーダで割って飲むことが多い。アレクサンドロスが生きていたら、どれほど嘆いたことだろう。

〈原注〉

1　*Alexandre le Grand ou le roman d'un dieu.* Maurice Druon. Del Duca. 1958.

2　*Les mystères d'Alexandre le Grand.* Michel de Grèce, Stéphane Allix. Flammarion. 2014.

3　*Hors-série Pour la science* n° 96.

第5章

ワインがマルセイユに繁栄をもたらす

マルセイユ

前六―前一世紀

紀元前六世紀、ギリシアからやってきたポカイア人が植民都市マッサリア［マルセイユの古名］を築いた。伝説によると、彼らを率いていたプロティスが、当地のガリア人首領の娘ジプティスと結婚し、ブドウの木を植えた。ギヨーム・アポリネールは著作『バビロンの終末』（一九一三）のなかで、ジプティスには別の婚約者がいたが、この男の酒癖が悪いのでプロティスと結婚することにした、と想定している。いずれにしろ、マッサリアには短期間でギリシア、小アジア、ローマ、エジプトの物品が結集するようになり、戦略的に重要な要衝としての地位が固まる。その港は、ガリア人の需要に応える物品、とくに彼らの喉をうるおす飲料の窓口となる。バルト海から運ばれた琥珀(こはく)やブルターニュなどで産出された錫(すず)が船に積みこまれ、ワインが陸揚げされた。なお、マッサリア建設の一世紀前より、ガリアの先住民はエトルリア人を介してワインの美味しさにふれていた。

しかし、マッサリアはもはやワインを輸入するだけでは満足せず、濃厚な色と味のワイン——女性が飲むことは禁じられていた——をみずから生産するようになる。前五、六世紀にさかのぼるブドウ畑の痕跡が、マルセイユのサン＝シャルル丘陵で発掘されている。ブドウ栽培はマッサリアの後背地にも広がり、当地のワインは名声を獲得するようになった。ただし、ローマの詩人マルティアリスは、「煤(すす)けた」味がする、と腐(くさ)している。彼の有名なエピグラムの一つには、「マッサリアの燻製所がかき集めることができるもっともおぞましいもののすべて、火の力によってのみ熟成したと思われるこれら樽入りの下等ワインのすべては、ムンナよ、おまえのところからやってくる。おまえは、おそろしい毒物であるうえ、決して安価ではないこれらのワインを海路で輸送し、気の毒な友人たちのもとに送りこんでいる」と記されている。だが、政治家で文人としても鳴らした小プリニウス（六一―一三三頃）や、ギリシアの散文作家アテナイオスからは大いにほめられている。ギリシアからは製陶技術も導入されたので、マッサリアはアンフォラ［二つの持ち手がついた容器］の名産地ともなった。マッサリアには容器も、容器に入れる中身もあったので、あとはゴクゴクと飲んでくれる喉(のど)を見つければいい。幸いなことに、ガリアはこの手の喉で満ちていた。

ギリシア人やローマ人がやってくる以前、ガリア人は大麦から作るビールで満足していた。彼らは短期間のうちにワインに魅せられたが、自分たちでは製造しなかった。前一世紀まで、そしてユリウス・カエサルによる征服の前までは、セヴェンヌ山脈の北側にブドウ畑は存在しなかった。当時のブドウ栽培は、西はガイヤック（フランス南部、タルン県）まで、東はレルミタージュ（ドローム県）までだった。ガイヤック産ワインは、まだワイン製造とは無縁だったボルドーにまで運ばれて消費された。北に向かっては、〝ワインロード〟がブリタンニア［イギリス］やライン川の向こうまで伸びた。「大地の血」とよばれるワインは、海や河川をつたって輸送された。ワインに蜂蜜や水や小麦粉を混ぜて飲んでいたローマ人と異なり、ガリア人は生(き)のままで飲んだ。ただし、入手することができる者はどちらかといえば戦士や富裕層に限定されていた。ガリアの貴族たちにとって、ワイン入手ルートの独占は民衆支配の手段でもあった。

　ローマ人はワインを愛好しつつも、警戒していた。ローマの政治家カトが前三世紀に「ワインは、心をあらゆる徳に閉ざさせ、あらゆる悪徳に開かせる」と述べたように。これとは反対に、ガリア人はワインに夢中となり、その酔態はローマ時代の年代記作者たちを大いに面白がらせた。ティトゥス・リウィウス〔前五九頃—後一七〕は、ガリア人奴隷はアンフォラと交換することができる、と述べ、シケリア〔シチリア〕のディオドロスは「彼らは過度にワインを愛好しているので、商人たちがもたらすワインを薄めもせずにそのまま飲んでいる。むさぼるように飲んで酩酊し、正体もなく眠りこける、もしくは興奮して手がつけられなくなる」とあきれ気味だ。盃を片手に哲学を語りあうギリシア人の高尚な「饗宴」よ、さようなら。ケルト人の無礼講万歳！　しかしカエサルによる征服後は、ローマ市民権をもつ者だけがガリアでブドウを栽培する権利を享受した。くわえて、一世紀には、イタリア産ワインをおびやかすようになったとの理由で、ガリアでのブドウ栽培は縮小された。三世紀に入って、皇帝プロブスがようやくこうした制約を廃止した。ゆえに、ガリア人は長いあいだ、何十万リットルものワインを——主としてローマ人から——買いつけていたことになる。塩、金属、家畜、穀物、ブルターニュ産の蜂蜜、手工芸品、奴隷との物々交換であった（アンフォラ一本分のワインで奴隷一人を手に入れることができたそうだ)。

ついにガリア人も製造できることになった「赤い黄金」はマッサリアの重要輸出品となり、何世紀にもわたってこの地の繁栄を支えるようになる。その間に、ガリア人はほぼフランス人となり、マッサリアはマルセイユとよばれるようになる。そしてマルセイユは、地元産以外のワインを排斥する、という保護主義を長年にわたって堅持する。一三世紀、プロヴァンス伯シャルル一世ダンジュー〔フランス国王ルイ九世の末弟〕に反旗をひるがえして自治権をとりもどそうとしたマルセイユだったが、武力に屈服して一二五七年にシャルルと和約を結ぶ。マルセイユは交渉の結果、これまでどおりに市外からワインをもちこむことはいっさい禁止する、との条項をこの和約にもりこむことができた。例外は、シャルルとその側近が消費するためのワインである。この禁止令は長く効力を保ち、マルセイユに寄港する外国の船舶にも適用され、乗組員は地元のワインを飲むことを強要された。一七一七年三月の法令により、禁止令が守られているかを監視する機関(ビューロー・デュ・ヴァン)が設立された。ビューロー・デュ・ヴァンの役人による視察の際に、船内でマルセイユ産以外のワインが見つかった場合は、当該船舶には検疫証明書が発行されない。そうなると、疫病が発生した船舶と同じく、次の寄港地への投錨は不可能となる…。一七四〇年に取り締まりは少しゆるくなり、他地方のワインがマルセイユを経由することが認められるようになったが、市内での流通や消費はまだ認められなかった。［こうした保護主義はワイナリーを所有する地元有力者の利権がらみであり、マルセイユにかぎらず、ボルドーをはじめとするその他の港町や地方でも同様の現象がみられた。ルイ一六世に仕えた財務総監、テュルゴーは経済の近代化、自由化に熱心だったので、フランス革命以前にさまざまな制約は撤廃へと向かった］

一九世紀に入ると、ペルピニャンとマルセイユを結ぶ鉄道の開通で、ラングドック産ワインがマルセイユになだれこむようになる。しかし、マルセイユ産ワインに本物の危機が訪れたのは一九一八年のことだった。この年、ジュール＝フェリクス・ペルノがパスティス「アニス・ペルノ」を商標登録した。「ガリッグ［地中海地方特有の石灰質の乾燥地帯］のシロップ」とよばれるこのアニス酒の商品名は今日、マルセイユのイメージと分かちがたく結びついていて、「マッサリア産ワイン」がかつて存在したことを覚えている人はいない。現在、マルセイユの中心地に残っているワイン畑は二区画――シャルル・リヴォン通りに沿って一区画、そしてサン＝ヴィクトール修道院の足もとに一区画――だけだ。残念なことだ！

第6章

バルフルール灘（ドーヴァー海峡）

一一二〇年一一月二五日

酩酊した船長がイングランド王位継承戦争をひき起こす

タクシーに乗りこんだ酔客が「おい、運転手さんよ、F1（エフワン）ドライバーなみにスピードを上げてみろよ！」と運転手をあおることはある。しかし、事（こと）が起こったのは真夜中で海上だった。ぐでんぐでんに酔った二五〇人が、同じように酔っぱらった五〇人の水夫に船の速度を上げるようせきたてたのだ。時は一一二〇年の終わり。新造船、ホワイトシップは数時間前にバルフルール（ブルターニュ地方、コタンタン）を出港し、強い南風に押されながら、イングランド王ヘンリー一世が乗っている船のあとを追うように航行していた。数日間を自領ノルマンディーですごしたヘンリー一世はイングランドに戻るところであった。［ヘンリー一世は、ドーヴァー海峡を渡ってイングランドを征服したノルマンディー公ウィリアムの息子で、ノルマン朝第三代のイングランド国王。ノルマン朝および次のプランタジネット朝のイングランド国王は、フランスにおいてはフランス国王に臣従する大貴族だった］

ホワイトシップでは、どんちゃん騒ぎがくりひろげられていた。船員もふくめて約三〇〇人（うち一四〇名は君侯や若い領主）が上機嫌でイングランドをめざしていた。船の規模のわりに、この人数は多すぎる。身分の高い乗客のうちには、妻妾とのあいだに二五人もの子どもをもうけたヘンリー一世にとって唯一の嫡男であるウィリアム・アデリン、その異母姉ペルシュ伯妃マティルダ、異母兄リチャード・オヴ・リンカンもふくまれていた。出帆するやいなや、このやんごとない一行は、五〇人の水夫にワインをふるまった。しかも大盤ぶるまいであり、その量は三ミュイにも達していた。当時の一ミュイは、二六八リットルに相当する…

トマという名の船長もかなり酔っていた。ゆえに、ウィリアム王子とそのとりまきから国王ヘンリーの船に追いつけ、とせまられると、がってん承知した、と張りきってしまった。そして、目的を達するために最短距離をとることにした。最短距離となると、コタンタン半島（ノルマンディー）の北西端の沖、バルフルール灘をつっきることになる。トマ本人もふくめ、だれもがバルフルール灘は回避すべき、と知っていた。灘に沿って海面すれすれの暗礁が続いているからだ。海が荒れているとき、夜間で視界が悪いときはとくに危険だ。しかしトマはへべれけだったうえに、二五〇人の酔漢にせかされていた。

ホワイトシップは暗礁に激突しておそろしい音をたてた。船体に大きな穴が空き、船はまっさかさまに沈みはじめた。だれも泳ぎを知らず、全員がドーヴァーの冷たい海水でおぼれた。映画『タイタニック』のレオナルド・ディカプリオと同じ目にあったのだが、ワインを冷やすのに役立つ氷山があったか、なかったかだけが違いだ。ウィリアム王子はいったん救命ボートに乗りこんだらしい。しかし、異母姉マティルダを救出するために引き返したところ、海に放り出された者たちにいっせいにしがみつかれてボートはひっくり返ってしまった。ホワイトシップは血とワインで真っ赤に染まった。ベロルドという名のルーアン出身者のみが助かり、惨劇の生き証人となった。船長のトマは？　船長はベロルドに、ウィリアム王子が無事かどうかたずねた。王子が亡くなったことを知ると、トマは船とともに沈むことを選んだ。なるほど、ヘンリー一世が愛好していた拷問——眼球をえぐる——を耐えるよりは海の藻屑（もくず）となるほうがましだ。この遭難が被害者だけでなく遺族たちにとっても耐えがたかったのは、中世では溺死は最悪と考えられていたからだ。天国に迎えられるための終油の秘跡を受けることもできず、多くの場合、埋葬もしてもらえないゆえに。歴史研究者のミシェル・パストゥローは自著『豚に殺された国王（*Le Poi tué par un cochon*）』（Le Seuil, 2015）のなかで、「溺死は、恥辱にまみれ、あさましい極悪の死である。船が遭難した海域には程度の差こそあれ幽霊が出没する、と思われていた」と記している。

ウィリアム王子の死により、ヘンリー一世には男子の後継者はいなくなった。国王はそこで、残った唯一の嫡子であるマティルダ［ウィリアム王子の同母姉］を後継者に指名し、神聖ローマ皇帝ハインリヒ五世［『カノッサの屈辱』で有名なハインリヒ四世の息子］の寡婦だったマティルダをアンジュー伯ジョフロワ四世と再婚させた。だが、一一三五年にヘンリー一世が亡くなると、有力貴族たちは故王の遺志を裏切り、マティルダの従兄であるエティエンヌ・ド・ブロワ［英国名はスティーヴン］を支持した。血なまぐさい内戦がはじまった。後世から無政府時代とよばれるぶっそうな時代となった。エティエンヌは一一三五年にスティーヴン国王として即位し、彼の死（一一五四年）の前年に内戦はようやく終わる。スティーヴンの長年のライバルだったマティルダの息子が、ヘンリー二世としてイングランド王位を継承する。

船長トマのワイン好きは、二〇年間の殺しあい、何千人もの死をもたらし、高いものについた。それだけではない、欧州大陸の地政学的均衡にも多大な影響をおよぼした。マティルダとアンジュー伯ジョフロワ四世の再婚により、イングランド王権を手にしていたノルマンディー公家の支配がロワール流域一帯にもおよぶことになり、フランス王家にとっての脅威が増した。さらに、マティルダとジョフロワのあいだに生まれるヘンリーは内戦終結後にイングランド国王［ヘンリー二世］となり、やがてアキテーヌ女公アリエノールと結婚し、イングランド王家のフランスにおける支配権はピレネー山脈まで拡大する［フランスの西半分がイングランド王領となる］。

ホワイトシップ遭難に話を戻すと、まずい選択の背後にはかならずといっていいほど酒瓶が転がっていた。同時代人であったイングランドの修道士オルデリクス・ウィタリスは自著『ノルマンディーの歴史』[1]において、それ見たことか！といわんばかりに、まずい選択を列挙している。そもそも、一行はホワイトシップに乗るはずではなかった。トマ船長はヘンリー一世に、自分の父親は征服王ウィリアム（ヘンリー一世の父親）に仕えてお役に立った、と訴えることで気を引いた。

「わたしの父親は生涯をとおして、陛下のお父上に海上でお仕えしたのです。お父上がハロルド王を成敗するためにイングランドにお渡りになるとき乗られたのは、わたしの父の船です。陛下、わたしにも同じ使命をおあたえください。わたしは陛下のお役に立つべく、ホワイトシップという名の、装備が整った船を所有しております」。すでに乗る船が決まっていたヘンリー一世は、「余がわが身と同じくらいに愛している息子たちをそなたに託そう」と答えた。これが第一のまちがいだった。ウィタリスは「うかつで軽薄」な若い君侯たち、「酩酊によって理性を失った傲慢な乗組員、ワインが全身にまわった操舵手たち（…）」を非難し、「ああ！　彼らは神への敬虔な信仰をなんと欠いていたことか！」と嘆いている。彼らはミサ用のワインは好きだったが熱心な信者とはほど遠かったから、神が一行にご加護をあたえてくださいますようにと、錨を上げる前に祝福をあたえにやってきた聖職者たちのことを笑い飛ばして追い返した。これが第二のまちがいだった。酔っぱらいたちに同情するとしたら、お坊さまたちは聖水のかわりにワインをもってくるべきだった。これが第三のまちがいだった、といえよう。ウィタリスは「彼らのあざけりは、たちまち罰せられた」と、喜びを隠そうともしない。ほんとうのところ、ウィタリスは危険なくらいにサディスティックなアンチ・ワイン派であり、遭難にかんして「海水はたちまちのうちに彼らの口を満たした」と書いている。選択をまちがえなかった数少ない者の一人がエティエンヌ・ド・ブロワ［スティーヴン］だった。オルデリクス・ウィタリスによると、エティエンヌは下痢のために出航前にホワイトシップから降りた。これが、出航前にしこたま飲んだ結果だとしたら、けがの功名である。
ホワイトシップ遭難から七世紀がたった一八六〇年、ル・アーヴルからニューオーリンズに向かっていた三本マストの帆船、ルナ号が同じバルフルール灘で遭難し、乗っていた一〇三人のうち一〇一人が亡くなった。当時、ニューオーリンズは北アメリカ一の酒池肉林の都と思われていた。どうやら、バルフルールと飲酒は相性が悪いようだ。

〈原注〉

1 *Histoire de Normandie*. Orderic Vital. éditions François Guizot. 1825-1827.

第7章

美味しいソミュール産ワインが百年戦争に転機をもたらす

一三七三年三月二一日　シゼの森（ポワトゥー地方）

酔っぱらった千人ものイギリス人。荷車をひっくり返し、積まれていたワイン樽の蓋をたたき割り、帽子や手袋を脱いでワインで満たしている。しかも、飲むだけ飲んだら、フランス人の悪口を言いはじめる…。例年のごとく、ボージョレヌーヴォー解禁を祝って酔っぱらっている現代のイギリス人？　いや違う。ときは中世。ところはシゼの森（今日のドゥー＝セーヴル県、フランス中西部）。日付けは三月二一日。この日の守護聖人である福女クレメンスと春のはじまりをたたえるかわりに赤ワインをガブ飲みしているのは、百年戦争の勝機を失おうとしているイングランド兵たちだ。こうなったのも、彼らが酒の誘惑に弱いことを知っていたフランスの名将ベルトラン・デュ・ゲクランがアルコールたっぷりのわなを仕かけたからだ。

一三七三年三月二一日の時点で、フランスとイングランドはほぼ四〇年前から戦いに明けくれていた。戦況は、どちらかといえばイングランドにとって有利だった。ニオールから三〇キロ南のシゼ（イングランド軍のポワトゥーにおける拠点）はベルトラン・デュ・ゲクランによって攻囲されていた。イングランド国王エドワード三世の補佐官、ジョン・オヴ・エヴルーは、大将のゲクランをのぞいて敵兵をすべて抹殺するよう命じた［当時の戦争においては、敵に捕獲された王侯貴族が殺されることは例外的だった。家族が身代金を支払うので、むしろ大切に扱われた］。エヴルーは、軍の先頭に立ってニオールを後にした。その後には、聖ジョージ［聖ゲオルギウス］の赤い十字を描いた白いチュニックを着た兵士たちが続いた。

イングランド兵たちは五〇〇〇ヘクタールもあるシゼの森を横断している最中（さいちゅう）に、ひどい喉の渇きをおぼえた。すると、樫の木陰に幻覚が見えた。いや、幻覚ではなかった。自分たちのほうに向かって、ワイン樽を満載した二台の荷車が近づいていたのだ。誰何(すいか)された御者たちは、フランス軍への補給としてソミュールからワインを運搬しているのだ、と答えた。もともと御者たちの荷物を軽くしてやるのにやぶさかでなかったイングランド兵たちは、だれのために運ばれているのかを知ると、わずかに残っていた遠慮をすてさった。御者たちを手荒く追いはらい、樽を投げ下ろしてから直立させ、上蓋をたたき割った。それからはじまったいっぷう変わった光景をびっくりしながら鑑賞したのは、ポワトゥー地方でもっとも深いこの森の猪や鹿たちである。喉が渇いていたイングランド人たちは、壺やコップを差し出し、甘美なワインを味わった。上質なワインだったことは確かだ。モントルイユ＝ベレ（メーヌ＝エ＝ロワール県）の村が産地だからだ。この村は今日、とびきり旨い辛口クレマン（低発泡酒）を産出している。だが当時は、赤ワインを生産していたようだ。桑の実とカシスの香りが強いカベルネだ。容器を持っていなかった兵士は、兜(かぶと)、帽子、ガントレット（手甲）など、持ちあわせのものにワインを満たして飲んだ。

諸侯の宮廷を遍歴する詩人であったキュヴリエは、一三八七年に完成した『ベルトラン・デュ・ゲクランの歌』のなかで、森の酒盛りシーンを以下のように描いている。「イングランド人たちは荷車の樽を転がし落とした。それから直立させた。そして、ブドウ酒を飲むために、すべての樽をたたき割った。かぶり物、鉢、鉄の帽子［兜］でブドウ酒をくみ、すすった。ブドウ酒で彼らの頭はくらくらとなった。飲みながら、フランス人たちを殺してやる、とすごんだ。ブドウ酒はしばしば、人に愚かしいことを言わせるからだ。ゆえに、酒にのまれてしまう者は、酒に近づくべきではない」。あわせて八〇〇人の騎士と近習、そして二〇〇人の弓兵が森のなかで大規模な酒盛りを楽しんだのだ。

その数時間後に戦闘がはじまった。いつものようにポワトゥー名物のミジェ［固くなったパンをちぎってスープ皿に入れ、赤ワインをたっぷりとそそいだもの。夏の暑い日にスープとしてよく供された。砂糖や蜂蜜を入れるとデザート扱いされる。フランス各地でさまざまな名称でよばれている］で腹ごしらえした後、デュ・ゲクランは戦いに参加し、足元がふらつきながば意識を失った敵を相手にする、という幸福を味わった。キュヴリエは次のように述べている。「眠っている者もいた。なぜなら、飲んだブドウ酒が頭蓋骨までゆさぶったからだ」。ようするに、ワインを飲んだせいでイングランド人は完全に無気力になってしまったのだ。鰻をのみこむのを忘れたせいかもしれない…。当時、二日酔いに絶対的効き目があるとされていたのは、生きた鰻をのみこむことだった。鰻は血のなかに残っているアルコールを飲んでくれる、と思われていたのだ。鰻はタンパク質、カルシウム、ビタミン類の宝庫でもある。だから鰻をのみこむのは、体の活力をとりもどすのには絶好の手段、ともいえよう。

イングランド軍に参加していたブルターニュやポワトゥーの傭兵たちが裏切り、フランス側にねがえった。ご褒美（ほうび）にソミュールワインの樽をもっともらえることを期待していたからにちがいない。イングランド側の大将、ジョン・オヴ・エヴルーは捕虜となった。デュ・ゲクランを捕縛すると息巻いていたのだが…。この見事な勝利のあと、デュ・ゲクランは配下の二〇〇人にイングランド兵のチュニックを着るように命じた。チュニックの聖ジョージの十字架を認めると、ニオールの町を守っていたイングランドの衛兵たちは跳ね橋を降ろした。お陰で、デュ・ゲクランはやすやすとニオール市を奪取することができた。

この二つの勝利により、フランスはポワトゥー地方におけるイングランドの優勢に終止符を打ち、百年戦争の流れを変えた。イングランド人たちにドーヴァー海峡を渡って帰ってもらうには、まだ八〇年の歳月とジャンヌ・ダルクの活躍が必要なのだが、よい方向に道が拓かれた。それもこれもソミュールワインのお陰なのだが、ソミュールワインが名声を得るようになったのは前世紀にヘンリー二世がイングランド国王になってから、というのは皮肉である。「ヘンリー二世は英国プランタジネット朝の国王であると同時に、フランスの西半分を支配する強大な領主であり、フランスの王権をおびやかしていた。ヘンリー二世は破壊されていたソミュール城を再建した」

本章の冒頭で明かしたように、森のなかでのイングランド軍とソミュールワインのこの奇跡的な出会いは偶然でもなんでもない。間諜からイングランド軍がやってくる、と知らされたベルトラン・デュ・ゲクランがワイン樽を積んだ荷車をさしむけたのだ！　イングランド人がロシアの古い諺「敵の家で出される蜂蜜酒よりも、友の家で飲む水のほうがよい」を知らなかったのは、彼らにとっては残念である。そもそも、デュ・ゲクランが用いた戦術は歴史上、何度も有効性を証明されている。メタウルスの戦い（前二〇七年）でローマ軍は、ハスドルバル［ハンニバルの弟。イタリア南部にいる兄に合流するためにアルプスを越えてイタリア半島に進入していた］の軍勢に参加していたケルト人傭兵を酔っぱらわせたし、アメリカ独立戦争のユートースプリングスの戦い（一七八一年）ではイギリス側がアメリカ植民地人たちを酩酊させた。非常に有効な手なのだ。

歴史はデュ・ゲクランには戦術のセンスがあったことを認めている。くわえて、彼にはアルコールのセンスもあった。後者にかんするエピソードを集めたリストは長い。酒好きの人間にとって休肝日が長いように。デュ・ゲクランは三〇歳であった一三五〇年、成功すればワインをたらふく飲ませると約束して配下の兵士たちを樵に変装させた。イングランド勢に押えられていたグラン＝フジュレ城（ブルターニュ）を奪取するための計略であった。薪の供給を待っていた敵は、にせの樵たちを城内に入れてしまった…。一三五七年には、攻囲されていたレンヌの町に食糧とワインを届けることで名声を高めた。一三六五年、イングランドの勇猛な戦士ヒュー・カルヴァーリーを懐柔しようとしたデュ・ゲクランは、ヒューが毒入りだと疑っているブルゴーニュワインを彼の目の前で飲み干してみせた。そして「いやー、掛け値なしに上質なブドウ酒ですな。これに貴殿がどれほどの大枚をはたいたのやら、想像もできませぬ[1]」と言ってのけた。下衆な傭兵であるヒュー・カルヴァーリーが自分の飲食代を払うことがめったにないことを知ったうえでの空とぼけであった［ヒュー・カルヴァーリーはイングランドが介入していたブルターニュ内戦に参加したが、内戦終結後には無職となったために略奪を働いていた。これに困ったフランスがアラゴン王国と教皇庁と組んで金を出し、カルヴァーリーをカスティーリャの内戦に送りこんだ。その結果、それまで敵であったデュ・ゲクランと組んで戦うことになった］。一三七二年七月のサント＝セヴェール攻撃について、詩人キュヴリエは「上質のワインを飲んだわれらが兵士たちは、攻撃にあたってはライオン・ランパント［左後ろ足で立ち上がったライオン。ライオンの紋章図形の一つ］よりも意気軒昂となった」とうれしそうに書いている。自軍をふるいたたせるため、デュ・ゲクランは酒樽を運びこみ、兵士たちに飲ませたのだ。

このように酒がらみの楽しいエピソードでわれわれを楽しませるベルトランの最期は華々しいものだったにちがいない、とだれもが思うであろう。さて、真実は？　この大元帥が息を引きとったのは一三八〇年七月、当時としては長寿とよべる六〇歳であった。言い伝えによると、死因は…水を飲んだためだった！　ベルトランはそのころ、ジェヴォダン（ロゼール県）のシャトーヌフ＝ド＝ランドンの攻囲を指揮していた［敵はイングランド勢力ではなく、軍閥のような存在となった傭兵くずれたちだった］。何回かの猛攻のあと、大元帥はラ・クローズの泉水で喉の渇きを癒やした。夏の暑さ、戦闘の激しさ、これに冷たすぎる水が追い打ちをかけ、まずは高熱が出て、次に鬱血症状が起き、これが命取りとなった。

故郷ブルターニュに埋葬されることを望んでいたデュ・ゲクランの葬列は、ただちにジェヴォダンからコート＝ダルモールへと向かった。ピュイ＝アン＝ヴレで遺体に防腐処理をほどこしたが、酷暑のために処理は失敗し、腐敗がはじまった。そこで、遺体を煮沸して肉と骨を分離し、肉をモンフェラン（現クレルモン＝フェラン）のフランシスコ会修道院に埋葬した。煮沸するのになにを使ったか？　大鍋いっぱいの、香草のアロマを溶かしこんだワインである。ベルトラン殿、おみごと！［内臓は防腐処理が行なわれたオーベルニュに葬られ、骨は国王シャルル五世の命令で王家の墓所サン＝ドゥニに葬られ、心臓だけが故郷のブルターニュに葬られた］

〈原注〉

1　*Bertrand Du Guesclin*. Georges Minois. Fayard. 1993.

第8章

王弟オルレアン公、「燃える人の舞踏会」を燃やす

一三九三年一月二八日

パリ（フランス）

これは、フランス史のなかでもっとも悲劇的でグロテスクな事件の一つである。王妃イザボーは一三九三年一月二八日、現在のセレスタン河岸近くにあった王城、サン＝ポル館で女官の一人の再婚を祝って宴会を開いた（国王シャルル六世の妻であるイザボーは二二歳で、大の宴会好きだった。ある日のこと、一人の聖職者に「あなたの宮廷に君臨してい

るのは、ヴィーナス神ただひとりです。大宴会と酩酊が夜を昼に変え、卑猥な踊りと一体になっています」[1]といわれたほどだ）。夜、祝祭と宴席に続いて舞踏会が開かれた。
たっぷりと酒を飲んで上機嫌だった宴客たちは、シャリヴァリに興じることにした。シャリヴァリとは、変装した大勢の楽士や招待客がありとあらゆるものを使って騒音を立てながら歩きまわる奇習である。サン＝ポル館の大広間は、トランペット、シンバル、シャリュモーなどの楽器の音でわんわんと鳴りひびいた。シャリュモー［現代のフランス語ではトーチを意味する］はやがて起きる事件とはなんの関係もなく、クラリネットの前身とよぶべき木管楽器である。このとき、ユゴナン・ド・ギゼがすばらしいアイディアを思いついた。ユゴナンはブルボネ地方出身の貴族であり、国王の近習だった。五世紀後、歴史研究者ルイ・フォシオン・トディエールは彼のことを「熱気と才気にあふれる若者」と形容する。才気があったかどうかは怪しいが、熱と縁があったことは確かだ…（なお、ユゴナンは、「機知に富む人物」を意味するユゴンの愛称である）
ユゴナンのアイディアとは？　国王シャルル六世、ジョワニー伯ジャン三世、イヴァン・ド・フォワ、オジエ・ド・ナントゥイエ、エマール・ド・ポワティエとともに「野蛮人」に変装することだった。アイディアはすぐさま実行に移された！　六人の服の上に麻でできたコスチュームが縫いつけられ、その上にピッチがぬられ、羽根や屑麻の繊維が貼りつけられた。当時の年代記作者ジャン・フロワサールによると、目的は「頭から足の裏まで、もじゃもじゃの毛だらけ[2]」であるように見せる事だった。松脂とタールでできたピッチは可燃性がきわめて高い。同じ材料でできた仮面が一同の顔をおおった。フロワサールによると、身支度ができた一行は、国王を除き、全員が鎖で互いにつながれた。当然ながら、この連中が登場する前に、広間で松明を燃やしてはならない、との命令が出された。

不幸なことに、国王の弟であるオルレアン公ルイは、この命令が出たときに、まだサン＝ポル館に到着していなかった。このルイは、「野蛮人」たちがにぎやかに広間になだれこむ前に、友人のフィリップ・ド・バールや従者にともなわれて姿を見せた。彼らは、居酒屋で何杯も酒をあおったその足でやってきたようだ。

一四世紀を専門とする歴史研究者バーバラ・W・タックマンによると、ルイとそのお供たちは「町で遊びほうけて」からやってきた（*A distant mirror*, MacMillan London Limited, 1979）。ルイはどんちゃん騒ぎが好きな女たらしであり、「ほぼすべての美女を追いかけて、種付け馬がいななくように口説いていた[3]」といわれる。後年、義姉である王妃イザボーにも手をつけたのではないか、と疑われるほどだった。

アルコールの影響下で判断力も怪しくなっていたオルレアン公ルイとその陽気な一行は、大広間の松明が消された理由がさっぱりわからなかった。数秒後、狼の遠吠えのような叫び、集まった客たちへの罵詈雑言やおどしの言葉が響きわたった。「野蛮人」たちが登場したのだ。ルイと仲間は、自分たちは幻覚でも見ているのではないか、さっき飲んだワインには毒キノコがしこまれていたのではないか、と訝りはじめた。自分の目が信じられないルイは…つれてきた従僕がもっていた松明をつかみ、何が起こっているのかを見きわめようと近づいた。これは、〝王弟ルイは間の悪いことをしでかす公子〟との定評を裏づける行動だった。たちまち、仮面、皮膚、髪、コスチュームに松明の火が引火して燃え上がった。「野蛮人」たちは火だるまと化し、鎖でつながれているので体の動きもままならず、その場でのたうちまわるばかりだった。焼け焦げる人肉の臭いで鼻孔を刺激された王妃イザボーは気絶した。国王シャルル六世は、叔母であるベリー公爵夫人、ジャンヌ・ド・ブローニュ［シャルルとルイの叔父であるベリー公の若い妻であった］によって命を救われた。ジャンヌは一四歳という年齢にもかかわらず機転をきかせ、自分のドレスのスカートでただちに国王をくるむことで酸素の供給を断って火を消した。フロワサールは、この悲劇の責任は「松明を投げ入れた」オルレアン公にある、と糾弾している。「こうして、この結婚の宴と集いは、悲痛で悲嘆なものとなってしまった。花婿と花嫁はそうなるのを止めることができなかった。そもそも、彼らに咎があると思ったり考えたりすることはとんでもないまちがいである。それがどれほど悪い結果を生むのかを考えずに松明を投げたオルレアン公に咎があるからだ」

オジエ・ド・ナントゥイエはなんとか鎖からのがれ、杯をすすぐための水で満たされていた桶に飛びこんだ。イヴァン・ド・フォワは、水で濡らした布を持って二人の従僕が待ちかまえていた戸口までたどり着こうとしたが、かなわなかった。サン＝ドゥニの修道士ミシェル・パントワンは「四人は生きたまま焼かれ、彼らの性器は床に焼け落ち、大量の血が流れた[4]」と書いている。国王とナントゥイエだけが助かった。ジョワニー伯はその場ですぐ死んだ。イヴァン・ド・フォワ、エマール・ド・ポワティエ、ユゴナン・ド・ギゼは二、三日、塗炭の苦しみを味わってから死んだ。ユゴナンは死ぬまで「仲間たちを呪い、悪口雑言を吐いて[5]」いた。仮装を思いついたのは本人だったのだが。オルレアン公の釈明は、「こんなことになるとは思ってもいなかった」という情けないものだった。罪をつぐなうため、同公はケレスティヌス会修道院に礼拝堂を寄進した。

「燃える人の舞踏会」とよばれるようになるこの事件は、不条理きわまりないだけでなく、政治的な影響も残した。第一に、すでに精神疾患の徴候が出ていたシャルル六世はこの惨事の衝撃で決定的に狂気の淵に転がり落ちてしまい、統治不能となった［狂気の症状が出るのは間欠的で、あいまに統治を再開したが、発作と発作の間隔はしだいに短くなる］。叔父たちが摂政として政治をつかさどることになる。第二に、オルレアン公と彼の「自堕落な生活習慣」（タックマンの言葉）に対する世間の怒りがこれまでになく高まった。同公は一四〇七年、従兄であるブルゴーニュ公の指令によって殺される。「悪徳、腐敗、魔術、その他の公私にわたる、神をもおそれぬ所業」が暗殺を正当化する理由としてあげられ、パリ市民は喝采した。彼の非業の死は、その後何十年も続く内戦へとフランスをつき落とす。王国は、オルレアン家の公子たちを盛り立てようとするアルマニャック派［アルマニャック伯ベルナールが頭目となったのでこのようによばれる］と、ブルゴーニュ公の側につくブルゴーニュ派の二つに分裂する。

「燃える人の舞踏会」は、シャルル六世が属するヴァロワ朝に長いことまつわりつく退廃のイメージを決定的なものとした。事件の六か月前にあたる一三九二年八月五日、シャルル六世はル・マンの森で突然の狂気の発作に襲われ、部下四人を殺害していた。その前に大量の酒を飲んでいたので、アルコールの影響下で譫妄症状が起きた可能性がある。著名な医師デュプレは一九一〇年、「両世界評論」誌への寄稿のなかで、シャルル六世を「感染症もしくは中毒症が引き金となって断続的に発症」する間欠的な精神病の患者、と診断している［現代では、シャルル六世は統合失調症をわずらっていた、との説が有力である］。引き金とは、平たくいえば酩酊ではないだろうか。シャルル六世は生涯を通じて、アルコールがらみのエピソードに事欠かない。一三八〇年一一月、ランスで戴冠式が挙行された日、この町の水飲み場では水のかわりにワインが流れた。九年後、シャルルはサン＝ドゥニのカテドラルで自身の騎士叙任を祝い、同時にデュ・ゲクラン（すでに皆さんにはおなじみのあのデュ・ゲクラン大元帥である）の遺徳をたたえる儀式をとりおこなった。シャルルとその一行のふるまいに、サン＝ドゥニの修道士たちは眉をひそめた。「君侯たちは酩酊して乱暴狼藉におよんだ。何人かは、神聖なる神の家を汚し、放埒で淫乱な行ないに身を投じた」[6]と修道院長は手厳しく批判している。その後、シャルル六世はボヘミア国王ヴェンツェル（フランスでは「酔っぱらいヴェンセラス」とよばれている）とランスで会見し、教会大分裂の打開策を話しあうことになった。この頂上会談が失敗に終わったのは、前日にヴェンツェルがシャンパーニュ産ワインを飲みすぎたせいだ、といわれる。

シャルル六世治世下における最悪の事態の一つは、一四一五年一〇月二五日に起きる。ヘンリー五世が率いるイングランド軍にフランス軍が完敗を喫したアザンクールの戦いである。この戦闘で、フランスの精鋭騎士六〇〇〇人ほどが命を落とす。シャルル六世はその五年後、屈辱的なトロワ条約に署名し、生き残っていた唯一の息子シャルルから王位継承権を剥奪し、イングランド王ヘンリー五世を自分の後継者に指名する［シャルル六世の娘カトリーヌとヘンリー五世の結婚も決まった］。狂気のあいまにこんな条約を結ばされたみじめなシャルル六世に、「兄さん、これでも飲んで気をとりなおせ」と言ってグラスを差し出してくれたであろう弟ルイがとっくの昔に亡くなっていたのは残念だ。

〈原注〉

1　*Agnès Sorel et la chevalerie*, volume I. Jean-Baptiste Honoré Raymond Capefigue. Amyot. 1860.
2　*Jean de Berry*. Françoise Autrand. Arthème Fayard. 2000.
3　*Charles VII*. Michel Hérubel. Olivier Orban. 1981.
4　*Les rois fous*. Claude-Henry Du Bord. Éditions du Moment. 2015.
5　前掲書。
6　*Charles VI*. Georges Bordonove. Pygmalion. 2006.

第9章

イスタンブール（オスマン帝国）
一五七四年一二月一二日

酔漢セリム二世に浴室が死をもたらす

一五七四年、イスタンブールのオスマン皇帝の住まい、トプカピ宮殿の厨房が大規模な火災で損傷した。「酔漢」のあだ名で知られるスルタン、セリム二世は、焼失部分の再建を建築家ミマール・スィナンに命じた。スィナンは厨房の規模を拡大するとともに、ハーレム、浴場、私生活空間の広間、そして付属建物も改築、整備した。一二月一日、スルタンは新しい浴場を訪れた。完成するのを待ちきれず、まだ壁が乾いていなかったのに足を運んだのだ。いつものことだが、湿気と塗料の臭いに耐えるためとの口実で、セリムはブドウ酒を一瓶分、飲み干した。すると、避けられぬ事故が起こった。スルタンは磨かれたばかりの床ですべり、みごとに転倒した。

　助け起こされ、寝床に運ばれたセリムは高熱を出した。そこで六人の息子のうちの五人を枕辺によんだ。いまわの際（きわ）の言葉は「あの子たちが不憫（ふびん）でならぬ。彼らの兄の最初の仕事は、あの子たちを殺すことだから」であった[1]。自分の死後に何が起こるのか、ちゃんとわかっていたところを見ると、アルコールはセリムの理性を完全に曇らせたわけではなかったのだ。父親が死んだときにイスタンブールにいなかった長子は、ムラト三世として皇位につくやいなや、弟たちを絞め殺すよう唖の宦官（かんがん）たちに命じた。死刑は新スルタンの目の前で執行され、犠牲者の母親たちもその場にいた。母親の一人は小刀をわが身につき立てて死んだ。ムラト三世は、亡父の子どもを妊娠していた女二人を海につき落とさせた。

　話をセリムに戻そう。オスマン帝国の第一一代皇帝セリム二世は、一二月一二日に脳内出血で死んだ。享年五〇。マラー［フランス革命の過激派。皮膚病のために浴槽につかっているところを暗殺された］、クロード・フランソワ［一九三九―一九七八。フランスの人気歌手。

自宅の風呂場で、曲がっていた壁灯をまっすぐにしようと触ったところ感電して死去］、ホイットニー・ヒューストン［一九六三―二〇一二。アメリカの人気歌手、女優。ビヴァリーヒルズのホテルの浴室で死んでいるのが発見された］、ジム・モリソン［一九四三―一九七一。アメリカのミュージシャン。パリのアパートの浴室で死んでいるのを発見される］の場合と同じく、浴室が彼に死をもたらした。統治をはじめてからまだ八年しかたっていなかった。だが首尾一貫した人物であり、自分の生き方に殉じて亡くなった。酔っぱらいとして。そして偉大な父親、スレイマン大帝（一四九四―一五六六）の遺産の破壊者として。即位するいなや帝国の凋落を早める仕事に取り組んだスルタンをオスマン帝国がやっかいばらいすることができたのは、ブドウ酒のおかげである。後継者のムラト三世は残忍ではあったが父親よりはすぐれた国家指導者であり、カフカスの一部を征服して帝国の版図を拡大すらしている。もしセリム二世の治世がもっと続いたとしたら、オスマン帝国は一九二三年を待たずに滅んだことだろう。

セリム二世は、スレイマン大帝の五人の息子の一人だった。彼は、弟のバヤズィトとの権力闘争に勝って後継者の資格を得た。父親の後を継いだとき、すでに酒飲みとの評判は確立していて、「メスト（酔漢）」のあだ名でよばれることになる。今日でも、オスマン帝国の栄光を懐かしみ、熱烈にたたえているトルコ人の一部は、このかわいらしいあだ名に猛烈に腹をたてている。何年か前、トルコの作家ネディム・ギュルセルは、このあだ名をテレビで口にしたために、同国人たちから猛攻撃された。

　セリムの華々しい政策の第一号は、父親が出したアルコール消費を制約する勅令の廃止だった。民心の動揺を抑えるため、「君主の酩酊は神のおぼしめしである」との説明が行なわれた！　反宗教・反君主制を掲げていたフランス革命期に、教皇庁や皇室や王室の悪徳をあばくと称する本を次々に出版して人気を得たルイ・ド・ラヴィコントリ・ド・サン＝サンソンは『オスマン一世からセリム四世までのトルコ皇帝たちの犯罪』（一七九五）のなかで、セリム二世について刺激的な文章を残している。「セリムはもっとも恥ずべき放埒(ほうらつ)に身を投じた。スルタンに仕える女たちの数を増やしたのは彼である。彼は、体をおおい隠すヴェールは自分たちの髪だけという姿の女たちを一つの部屋に集め、彼女たちが互いに淫らな行為におよぶのを見て楽しんだ。しばしばハーレムのただなかで眠りこけた。シレノス（バッコスともよばれる酒神ディオニュソスの守役(もりやく)）がバッコス神の女信者たちに囲まれて寝ていたように。彼は自分の醜悪な不摂生を恥じるどころか自慢し、官能の喜びの沼に嫌になるほどのめりこんでいたので、怠惰と無気力を批判された。八日間ぶっ続けで、ありとあらゆる種類の楽しみにふけったことがある。ほんの少しの喜びのために一〇万人の首をはねたことがあるらしい。彼は、酒で正体を失ったエゴイズムの塊である」。

以上が、ヨーロッパ人がいだいたセリム二世のイメージだったようだ。一本の酒瓶の口を開けるごとに、大砲を一発発射させていた、との話もまことしやかに伝えられている。（フランス語のスラングでは赤ワイン一杯をカノン（大砲）というが、その語源はこれだ！　と考えるのは早とちりだが、もっともらしく聞こえないこともない…）

『オスマン帝国史』（一八五五）の著者、テオフィル・ラヴァレもかなり辛辣（しんらつ）である。「彼は、玉座にまったくふさわしくないオスマン皇帝の嚆矢（こうし）であった。個人としての資質が無であるために帝国の凋落の大きな原因を作った君主の第一号である。ごく若いころから、酒の飲みすぎのために堕落し、頭の働きが鈍っていた。怠惰でたるみきっていて、戦争で骨を折るよりハーレムでのんびりするほうをつねに好んだ。短軀で肥満、真っ赤な顔色、風采のあがらぬその姿形は、彼が君臨する国の凋落の生きた象徴だった」「それまでの皇帝とは異なり、セリムは親征を一度も行なわなかった」

セリムの最大の過ちは、一五七〇年にキプロスを攻撃したことであった。フランスの尊厳王フィリップ二世（一一六五―一二二三）にも愛され、当時、世界でも最高級のワインの一つとみなされていたコマンダリアをこの島が産出していることが、動機となったのだろうか？　この疑問を掘り下げることはやめておこう。とにもかくにも、一五六八年に神聖ローマ帝国と和約を結んだというのに、セリムはヴェネツィアが支配していたキプロスに自軍を向かわせた。ニコシアでは二万人の住民が虐殺された。ファマグスタでは、酔っぱらったオスマン兵たちによって役人たちがずだずたに切りきざまれ、犬の餌食となった。攻撃を命じたセリム本人はハーレムに引きこもり、酩酊で「判断力もあやふや[2]」なまま、司令官ムスタファ・パシャに軍事作戦を全面的にまかせていた。キプロス攻撃は、欧州諸国がついに団結してオスマン帝国に立ち向かうきっかけとなった。

一五七一年一〇月七日、レパント（ギリシアの西海岸）の沖で、教皇ピウス五世のよびかけに応じたカトリック諸国（神聖同盟）の連合艦隊を相手に、オスマン艦隊は大敗を喫し、二〇〇艘以上が沈没し、二万人以上の兵士を失った。だれも止めることができないと思われたオスマンの領土拡張に待ったをかけた海戦だった。宮殿にこもったままのセリムは、敵との正面からのぶつかいあいを望む、という過ちを犯した。惨敗にあわてふためいたセリムは、財宝をハーレムの女と幼い息子たちとともに、イスタンブールからブルサへと移した。セリム本人はイェニチェリ（オスマンの常備歩兵）をともなってエディルネに逃げた。

この海戦敗退に衝撃を受けたセリムは、迷信深かったこともあり、それからの数か月、不吉な兆しがあいついだことに動揺を深めた。彗星がオスマン帝国の空を横切り、首都が地震に襲われ、洪水でメッカに被害が出た。しかし、セリムの心をもっとも痛めたのは家庭内の悲劇であった。息子一人と、重用していたムフティー［イスラムの宗教指導者］を失った。そして、皇宮の厨房と酒蔵が火事で焼け落ちる、という不幸にもみまわれた。祖父のセリム一世も死の直前に同じような不運にみまわれたことを嫌でも思い出した。それでもセリムは気をとりなおし、酒蔵のストックを再構築する任務を託して、自身のソムリエであるメスィハガをエジプトに送りこんだ。マスカットの集積地、アレクサンドリアで醸造されたワインで元気をとりもどしたと思われるスルタンは、一五七四年一二月一日に浴室のつやつやとしたタイルですべって転び、これが命取りとなった。月面に降り立ったアポロ号のアームストロング船長の言葉をもじると、これは酔っぱらいにとって小さな一歩だったが、オスマン帝国の存続にとって大きな一歩であった。帝国は彼の死後、四二〇年もながらえる。

〈原注〉

1 *Les crimes des empereurs turcs, depuis Osman I jusqu'à Sélim IV*. Louis La Vicomterie de Saint-Samson. 1795.

2 *La Turquie et ses différents peuples*. Henri Mathieu. Dentu. 1857.

第10章

イングランド
一六六〇—一六八五年

チャールズ二世、グラスを片手に、立憲君主制の礎を築く

ますます力を強める議会。これをはばもうとするものの、遊興に忙しすぎて有効な手をうてない国王。変容し、立憲君主制へと移行する国。意地悪な見方をすれば、チャールズ二世（在位一六六〇—一六八五）時代は以上の三つのフレーズに要約することができる。意地悪に徹しようではないか！　イギリスはチャールズ二世の死からわずか三年後に、今

日まで続く立憲君主制を採用したのだから。この新体制の誕生を許したのは、酒が大好きだったチャールズ二世の放任と寛容であった。

チャールズ二世が即位したのは一六六〇年。母方の祖父はフランス国王アンリ四世であるので、遺伝的にも大いにいける口であったはずだ［アンリ四世は誕生時に丈夫に育つまじないとして、ニンニクを唇にこすりつけられワインを口にそそがれた、といわれている。ワインにかんする逸話が多いうえに、ニンニク臭さで女性たちを閉口させたことで有名な国王である］。彼の即位は、清教徒革命の指導者だったオリヴァー・クロムウェルとその息子リチャードによる一〇年におよぶ統治からイングランドが抜け出したことを意味した。なお、父親のほうのクロムウェルは、チャールズ二世の父親［チャールズ一世］を処刑している。厳格なピューリタニズムをくぐりぬけて王制に戻ったイギリスは、一息ついて遊びたい気分であった。これは、亡命暮らしから戻ったチャールズ二世にとって願ったりかなったりだった！　即位した五月二九日は、彼の三〇歳の誕生日でもあった。ロンドンに入市した新王は、クロムウェル時代にはカラカラに乾いていた「ワインの泉」をふたたびワインで満たした。蛇口をひねるとワインが出てくる、この夢のような泉は、ヘンリー八世（一四九一―一五四七）が一五二〇年にフランスのカレーでフランソワ一世と会見した「金襴（きんらん）の陣」

をきっかけにイングランドに導入されていた［神聖ローマ皇帝カール五世に対抗するためにフランス国王フランソワ一世とイングランド国王ヘンリー八世がカレーで会見したとき、両陣営が豪華な布のテントを張って贅を競ったので「金襴の陣」とよばれる］。はじめがこうであったから、チャールズ二世の統治がどうなったかは推して知るべし。ロンドンは、「テムズ川沿いのバビロン」といういありがたいあだ名を享受することになる［聖書においてバビロン（バビロニア）は悪徳の都の代名詞］。

漁色、賭け事、決闘、酒盛りが宮廷の日常であり、宮廷の主人公は冗談好きな若い貴族たちだった。なかでも著者がとくに気に入っているのはチャールズ・セッドリーである。政治家および詩人としても有名になるセッドリーは、放蕩者で鳴らしたロチェスター伯やドーセット伯チャールズ・サックヴィルなどとともに、「メリー・ギャング（陽気な一味）」を形成していた。一六六三年、セッドリーと友人のバックハースト卿は、ロンドンのバウ通りにあった居酒屋のバルコニーに立つと裸になり、卑猥な言動におよんだ。しめくくりとして、セッドリーは自分のペニスをグラスに入ったワインにひたした…そして「国王の健康を祝して」、杯を飲み干した。居酒屋の客たちは大憤慨して騒動となり、公然猥褻罪に問われたセッドリーは一週間、牢屋暮らしをする。これとは別の機会には、尿で満たしたビール瓶を居酒屋の客に向かって投げつけたらしい。

「陽気な王さま」とよばれていたチャールズ二世も負けていなかった。自分のことを「淫乱な怪物」だと決めつけるクロムウェル派を失望させてはいけないと思っていたらしく、祝宴と愛人の数を増やすことに励んだ。嫡子は一人ももうけなかったが、一〇人以上の庶子を愛人たちに産ませたすえ、五四歳のときに脳溢血で亡くなる。十指にあまる愛妾のうちには、マザラン［ルイ一四世が幼かったころに宰相をつとめたイタリア出身枢機卿］の姪の一人［オルタンス・マンシーニ］と、ルイ一四世がシークレットエージェントとしてイングランド宮廷に送りこんだルイーズ・ド・ケルアルがいた。チャールズ二世によってポーツマス公爵夫人に叙せられたルイーズはカトリック教徒だったためにイングランド国民から殊(こと)に嫌われ、色情狂だとあげつらわれ、「最悪の近親相姦者であるポーツマスは、われらが慈悲深き国王を酔っぱらいにした！」という一節がふくまれる戯れ歌で揶揄(やゆ)された。ロチェスター伯は「彼（チャールズ二世）は、一人の娼婦から別の娼婦へとたえず女を漁る／陽気で、醜聞にまみれたみじめな君主」[1]と書き記している。とはいえ、ポルトガル王家から迎えた王妃、キャサリン・オヴ・ブラガンザには愛情深い夫だった。なお、おやつの時間に菓子とともにビールが出されるのに辟易(へきえき)し、イングランド宮廷に紅茶を導入したのはキャサリン妃である。

毎晩のように酔っぱらう統治者がかかえる問題は、素面の政敵に対抗するエネルギーがかならずしもわいてこないことである。チャールズ二世の敵は騎士議会［王党派であった騎士党に属する議員が多かったのでこのようによばれる王政復古期の議会］であった。この議会の任期は一六六一年五月八日から一六七九年一月二四日まで続き、イングランド史上もっとも長い任期を誇ることになる。大多数を占める騎士党はもともとは王党派だったものの、やがて三つの動きで王権をゆさぶるようになった。この三つは現在にいたるまでの英国の立憲君主制の基盤となった。第一は、国政に対する議会の権限が強まったことだ。第二に、議会が課税承認権を盾にして、財政運営への容喙を強めた。第三に、後述するように議会が王位継承権に口をはさむようになる。なお、この議会の別名は年金議会である。クロムウェル派と戦った王党派をはじめとする、国王のとりまき多数に年金を認めたからである。ようするに、要人たちは議会からたっぷりと金をもらうかわりに、議会に対して妥協的な態度をとることになった。

国王の金の使い道の一例をあげてみよう。毎晩のように酔っていたチャールズ二世は二日酔いに悩んだようだ。そこで、グレシャム・カレッジのジョナサン・ゴダード教授が考案したといわれる「二日酔いに効く妙薬」の処方を一五〇〇ポンド（六〇〇〇ポンドともいわれている）で購入することで、問題を一気に解決しようと考えた。「ゴダードのしずく（ドロップス）」とよばれるこの秘薬は飛ぶように売れていたが、そのレシピは秘密であった。鷹揚（おうよう）なチャールズは処方を買いとって臣民に公開した。さて、その原材料とは？　アンモニア、絞首刑による刑死人の頭蓋骨の粉末、乾燥マムシ、鹿角精である！　哲学者ジョン・ロックも愛用していたそうだ。薬剤師ニコラス・カルペパーが考案した処方（ローズマリーもしくはキランソウの煎じ薬）も人気を博していた。

じつのところ、チャールズ二世の酔いが醒めたのは一六七九年であった。カトリック教会を憎む議員たちが多数を占める議会がシェーカーをふっておそろしい効き目のカクテルを用意したのだ。カトリック信者である王弟ジェームズから王位継承権を奪うための法案、王位排除法である［チャールズ二世に嫡子がいないことから、王弟ジェームズが次の王になることが確実だった］。神聖なる王家の血統を否定するこの法案にぞっとしたチャールズは、一月二四日に議会を解散してこれを葬った。チャールズの死後、ジェームズが王位につくが、このジェームズ二世の君臨は三年しか続かない。名誉革命によってジェームズ二世は亡命に追いこまれ、プロテスタントとして育てられた彼の娘メアリとその夫であるオランダ総督ウィレム［英名ウィリアム］が女王および国王として迎えられる（一六八八年）。議会はこの期をとらえて「権利の憲章」を発布させ、英国流立憲君主制の原則がこれですっかり整う。

だが、遊び人チャールズにすくなくとも一つの功績を認めなければなるまい。その後の二世紀にイギリスが世界の海を支配する下地を整えたのだ。王政復古後、海軍の名称をクロムウェル時代の共和国海軍からロイヤルネイヴィーに変更したチャールズは一六七三年、サミュエル・ピープスを海軍本部書記官（海軍のトップ）に任命した［ピープスはそれ以前にすでに、王政復古以前から仕えていた初代サンドイッチ伯の推薦で海軍の要職についていた］。「陽気な王さま」のもとでイングランドは、アルジェリアを根城とするイスラム教徒の海賊、ネーデルラント連盟共和国やフランスを相手にして、海戦で勝利を次々とあげる。もっとも、海軍士官たちは君主に負けないくらいに酒飲みだった。ピープスは、歴史資料として価値の高いその日記のなかで、カンバーランド公ルパートの次の言葉を伝えている。「こんなことを言うのははばかられるが、もし酔漢全員を解雇するとしたら、艦隊を指揮する人間は一人もいなくなる。いざというときに戦闘に参加できるのであれば、酔っぱらいのなにが悪い？」[2] そのとおり、なにも悪くない！

［サミュエル・ピープスの日記は和訳されているが、分量が多いうえに現在では入手が困難で

ある。臼田昭著の『ピープス氏の秘められた日記——17世紀イギリス紳士の生活』（岩波新書）がおすすめである。この日記のもっとも興味深いさわりを紹介することで、チャールズ二世時代の雰囲気をみごとに炙り出している」

〈原注〉

1 *Charles II and the Politics of Access*. Brian Weiser. The Boydell Press. 2003.

2 *Samuel Pepys ou Monsieur moi-même*. Claire Tomalin. Champ Vallon. 2002.

第11章

アメリカ独立戦争はラム酒のおかげ

ボストン（北アメリカ）
一七七三年一二月一六日から一七日にかけての夜

カトリック教徒が聖女アーデルハイトを祝うこの日（一二月一六日）の夜、ボストン（マサチューセッツ）では、顔になにやらぬりたくり、先住民モホーク族に変装した六〇人ほどの植民地人が、お茶を積んだ東インド会社の船三隻を襲撃した。イギリス政府とジョージ三世が東インド会社に茶の独占販売権をあたえたことに不満をつのらせていた彼らは、船荷を海に投げすてた。これが、だれもが知るボストン茶会事件である。だが、ほんとうのところ、事はこのように運ぶはずではなかった…

埠頭に到着したときの偽モホーク族の頭にあったのは、当然ながら、美味しい紅茶を楽しむためにアールグレイのティーバッグを失敬する、という計画ではなかった。彼らのもともとの考えは、翌日と決まっていた陸揚げの阻止であった。イギリスの法律によると、目的地に到着してから二〇日以内に引き渡されなかった商品は差出人に送り返されることになっていた。そうなれば、東インド会社の船はみじめにもイギリスに引き返さざるをえない。問題は、陸揚げ阻止の実力行使に出ようとしていた連中の脳みそが、ボストンの酒場でしこたま飲んだばかりのアルコール飲料で完全にかすんでいたことである。はっきり言おう。茶会の襲撃者たちはぐでんぐでんに酔っぱらっていたのだ。カヌーで近づいて船舶に乗りこんだ偽インディアンたちは、アルコールのおかげで大胆になり、発想も豊かになっていた。そして当初の計画のことなど忘れ、積み荷を海に投げ落としたのだ。アメリカのジャーナリスト、スーザン・チーヴァーは「彼らが素面（しらふ）であったとしたら、あの夜の経緯（いきさつ）は違ったものとなっただろう。しかし、彼らは素面ではなかった。酔っぱらっていたからこそ歴史を変える、しかもよい方向に変えることができたのだ[1]」と語っている。

この事件は歴史上、非常に大きな意味をもっている。イギリスは報復に出て、秩序回復のために一連の措置を講じた。イギリス国王がマサチューセッツの評議会のメンバーを、総督が植民地の役人を任命することになった。ボストン港は閉鎖され、人が住んでいない家は接収の対象となってイギリス兵士の宿舎とされた。こうした措置を決めた法律――アメリカ人がよぶところの「耐えがたき諸法」――は、アメリカ独立戦争をひき起こす決定的な理由となる。この戦争の火蓋が本格的に切られたのは一七七五年、レキシントン・コンコードの戦いにおいてである。そのきっかけは、イギリスの詩人ウィリアム・クーパー（一七三一―一八〇〇）が「酔いをひき起こすことなく気分を明るくしてくれる飲み物」とよぶ紅茶だったのか？　むろんのこと、違う。

独立革命（一七七五―一七八三）の計画は、自家製ラム酒がなみなみとそそがれるニューイングランドの酒場で練られたのだ！　当時、ボストン市（人口一万六〇〇〇人）にはこうした楽しい溜（た）まり場が一〇〇軒以上も存在した。二〇名ほどの酒場経営者と、ラム製造業者の二人に一人は「自由の息子たち（急進派）」のメンバーだった。そして、ボストン茶会事件の陽気な主役たちも全員、この組織に属していた。地元の酒場が不穏な動きの温床であることは秘密でもなんでもなかった。ボストンっ子であり、やがて大統領となるジョン・アダムズは、好んでこうした酒場に通い、民意を探っていた。彼はある日、客たちが「こんな圧政では賢明な人間も発狂してしまう！」と言って嘆くのを耳にした。抵抗運動の中心地はグリーン・ドラゴン・タヴァーンという居酒屋だった。この居酒屋はやがて「独立革命の司令本部」とよばれるようになる。この店の地下では、誕生しつつあった新国家の心臓が熱い血をたぎらせて鼓動していたのだ。やがて英雄的な戦死をとげるジョーゼフ・ウォーレン、ポール・リヴィア、そして秘密結社ロイヤル・ナインのメンバーたち（蒸溜業者がかなり多くふくまれていた）はグリーン・ドラゴンに集い、酒をじゃんじゃんおごることで労働者階級を仲間に引き入れた。一七六五年の印紙法［アメリカ植民地に対して、あらゆる証書類に印紙を貼ることを義務づけた法律］への抵抗運動のために中産階級の事業家を中心として結成されたロイヤル・ナインは、「自由の息子たち」の熱血活動家の供給源となった。

グリーン・ドラゴンの常連たちの独立を求める熱意は、彼らのグラスに残っている酒（ビール、ラム、自家製パンチ）の量と反比例して高まった。二年後、仲間たちにイギリス軍の動きを知らせる伝令の役目をになうポール・リヴィアは、この居酒屋から馬に乗ってレキシントンに向かう。この伝説的エピソードは「真夜中の騎行」とよばれ、アメリカでは小学生でも知っている。なおリヴィアは騎行の途中で、当地の大手ラム製造業者の一人であり、志を同じくするアイザック・ホールのところに立ち寄っている。

茶会事件の数か月前、陽気な飲み仲間たちはすでに、商船の取り締まりを任務とするイギリス税関のスクーナー、ガスピー号を焼き討ちにしている。彼らはまた、イギリスの官吏に嫌がらせや挑発をくりかえした。一七七四年一月には、ボストン税関の役人の一人が、やけどをするくらいに熱いお茶を飲むことを強要されたうえ、鞭で打たれ、全身にタールをぬられて鶏の羽をふりかけられた。

しかし、居酒屋で生まれる計画には一つ難点がある。陰謀らしくひそやかに練られる、というのではなく、どうも派手になってしまうのだ。一二月一六日の襲撃が実行される以前に、すでにこれをたたえる歌が作られていた。「モホーク族よ、斧をとれ！　ジョージ国王に告げるのだ。われらは外国のお茶に課せられる税金は払わない、と。国王がおどしてもむだだ。国王の悪しきお茶を飲むよう、われらの娘や妻たちに強要しようとしてもむだだ！　若者たちを集めるのだ、グリーン・ドラゴンでわれわれのリーダーたちに会おうではないか！」

グリーン・ドラゴン・タヴァーンはいまでもボストンに存在する。そして、一五ドル払えば、「愛国者のお気に入り」というハンバーガーの一皿を食べることができる。だが、ドリンクメニューにはラム酒をベースとした飲み物が一つもない。これは歴史への冒瀆（ぼうとく）である！

ここで、いわゆる新大陸発見の時代まで時をさかのぼってみよう。一四九三年、クリストファー・コロンブスはイスパニョーラ島（ハイチ）にサトウキビの挿し木をもたらした。サトウキビ栽培はこの島で指数関数的に発展する。サトウキビ畑での労働を拒否する先住民は殺され、アフリカからつれてこられた奴隷がプランテーションや製糖所の労働力となった。精糖の過程で、黒くて粘性があり不快な臭いを発する物質が分離される。廃糖蜜（モラセス）である。ある日のこと、ぬけ目のないだれかが、十分なだけ発酵させれば、この残留物を蒸溜することができることを発見した。蒸溜すると…万歳！　アルコール濃度の高い飲み物、ラム酒ができあがる。砂糖四キンタル［一キンタルは一〇〇キログラム］の精製の副産物として最大三キンタルのモラセスができる。ラム酒作りでもっとも才能を発揮したのはバルバドスのプランテーション経営者たちだった。彼らがフル回転で蒸溜したラム酒は船乗りや海賊たちが愛飲するところとなった。『宝島』（ロバート・ルイス・スティーヴンソン、一八八三）のなかで、ベテラン船乗りのビリー・ボーンズはきわめて率直に「ラムは俺のパン、俺のワイン、俺の故郷、俺の友、俺のすべてだった」と語っている。バルバドスの住民たちもラムの消費では負けていなかった。一八世紀には、一人あたり年間四五リットルも飲んでいたそうだ。ウェールズ出身の牧師、グリフィス・ヒューズは自著『バルバドスの自然史』（一七五〇）のなかで、ラム酒は血液を薄めてサラサラにする効能があり、健康保持に役立つ、と述べている。ゆえにラムは「悪魔殺し」とよばれる！

この「悪魔殺し」は、三角貿易でも活躍した。アフリカの族長たちは一一二ガロンのラム酒と交換で、大人一人を白人に渡した。四八ガロンなら少女一人と交換だ。五二ガロンなら少年一人。やがて、徳が高いはずの「ピューリタン」たちもラム酒を醸造するようになり、糖蜜を輸入した。問題は、計算高い彼らがもっぱら、値段が安いフランス領アンティーユ諸島産のモラセスを買いつけたことだった。イギリス政府はそこで、イギリスの植民地以外からアメリカに入ってくるモラセスに、一ガロンあたり六ペンスの税を課すことにした。これが糖蜜法（一七三三年）である。植民地人たちは肩をすくめただけだった。彼らは法の編目をかいくぐることに精を出し…ついでに独立を考えはじめた。一七六三年、アメリカには一五九ものラム酒蒸留所が存在した！　アメリカで消費されるラム酒の半量は国内産であり、蒸溜業は当地の製造業のなかで第二の地位を占めるにいたった。密貿易の臭いがプンプンする。

一七六四年、七年戦争で財政破綻となったイギリスはさらに悪手に出た。砂糖法の制定である。これは、アメリカ植民地に輸入されるワインやコーヒーにも税を課す悪法だった。植民地人の反応は「代表なくして課税なし」だった。彼らはイギリス本国の議会に自分たちの権益を代表する議員を送ることを望んだ。イギリス政府はこれを拒否した。これをきっかけに生まれたのが「自由の息子たち」である。そして一七七三年、茶法が制定される。破産寸前にまで追いこまれていた東インド会社を救済することを目的としたこの法律は、北アメリカの植民地で関税を払わずに茶を販売する権利を同社にあたえたのだ。それがどのような結果をまねいたのかは、すでに述べたとおりだ。

その後に起こった独立戦争は厳しいものだった。ラム酒の補給が嘆かわしくもとどこおったことが辛さに拍車をかけた。一七八〇年、ホレイショ・ゲイツ少将は南カロライナで、イギリス軍への攻撃命令を出そうとしていた。配下の兵士たちのポケット瓶が空だったので、少将は一〇〇パーセント純粋のモラセスを彼らに配った。これがまちがいだった。翌日、攻撃がはじまると、兵士たちはせまりくる便意をこらえきれず、ばらばらと散って周囲の藪（やぶ）に姿を消した。モラセスには強烈な緩下（かんげ）作用があることを忘れたために、ゲイツは敗軍の将となってしまった。その一年後、ユートースプリングスの戦いで、植民地人側はイギリス軍に奇襲攻撃を仕かけ、敵の酒樽を奪取し…勝利の美酒に酔った。イギリス軍はアルコールの効果が現われるのをじっくりと待ち、反撃に出て勝った。こうした屈辱的エピソードにもかかわらず、アメリカは一七八三年に独立を勝ちとり、ラム酒は国民的アルコールの地位を確保した。

なお、宿敵イギリスを困らせるチャンスを逃すまいと、フランスは援軍を送ってアメリカ植民地人の蜂起を支援した。なかでも大いに活躍したのが、海軍中将のピエール・アンドレ・ド・シュフランである。シュフランは酒神バッコスの生まれ変わりかと思えるほどの酒豪であり、航海にも自分専用のソムリエを同行させた。パンチ酒が彼の燃料であった。

一九世紀に入ると、トマス・ジェファソン大統領によるウイスキー税の廃止、およびトウモロコシ栽培の拡大によって、ウイスキーがラム酒を追い落とすことになる。

時代がなんであれ、アメリカの歴史にはアルコールの臭いが立ちこめている。一六二〇年、メイフラワー号の乗客たちは航海中、飲料水のかわりにビールを飲むことを余儀なくされた。一行が航路を誤って本来の目的地だったヴァージニアではなく、ケープコッドに到着したのもアルコールのせいだったのかもしれない。彼らは、ニューイングランドに定着するはじめての入植者となる。一八世紀より、植民地アメリカは酔っぱらいだらけの土地、という評判を得ていた。一七三〇年代、アメリカ植民地でもっとも人気のあった新聞、「ペンシルヴァニア・ガゼット」は、酩酊を形容する表現を二二〇も集めたリストを発表した。同時に、この悪しき習慣と戦うために他国がどのような方法を用いているのかを紹介している。この記事の筆者とは？　新聞社のオーナー、ベンジャミン・フランクリンその人である。とぼけた記事である。アメリカ建国の父たちの多くはアルコールと浅からぬ縁があり、ブドウ栽培、ビール製造、蒸留酒製造を生業（なりわい）としていたからだ。独立戦争後、三代までの大統領（ジョージ・ワシントン、ジョン・アダムズ、トマス・ジェファソン）は、ビール製造業の振興に力を入れた。

ジョージ・ワシントンの政治キャリアにアルコールは大いに貢献している。一七五六年、ヴァージニアではじめての選挙運動を経験したさい、潔癖なワシントンは選挙民の歓心を買うために酒をおごることを拒否した。結果は落選だった。二年後、彼は五〇〇リットルもの酒をふるまった。結果は当選。この勝利を祝って、ワシントンはパンチ酒一樽、ワイン三五ガロン、発泡リンゴ酒四三ガロンを選挙民に提供した。彼は謹厳だったが、何杯かシャンパンを飲むと饒舌（じょうぜつ）になる、との評判をとっていた。一七八九年、彼は大統領に選ばれる。そして、民衆の心をつかむには彼らを酔わせるべき、という厳粛な事実を忘れることがない。二期目を勤め上げたのち、彼はヴァージニアの所有地でその後の人生を送る。奴隷の労働力のおかげで、ワシントンはプランテーション経営を軌道にのせ、ブランデーの醸造所を併設した。プランテーションでは、お気に入りの庭師の忠勤に次のように報いた。クリスマスに酒をあおるために四ドル、復活祭に同じ目的で四ドル、聖霊降臨祭にも二ドル、夕飯にグロッグ［ブランデーもしくはラムを砂糖湯で割った飲み物］一杯、朝には一杯飲むためのコイン一枚。それでもワシントンはアルコール依存症撲滅の戦いに立ち上がった。この依存症がもたらす害悪を知りつくしているから、という理由で。なるほど、彼は若いころ、いかがわしい賭場やビリアード場にしばしば足を向けていたので、そのあたりの事情には明るかったのだろう。

アメリカは恩知らずである。建国にも一役買った酒を崇めるのではなく、猛攻撃したのだ。独立からまもないころ、コネティカットの農場主二〇〇人ほどが集まり、反アルコール団体第一号を結成した。一八〇五年、ニュージャージーで「ソバー・ソサイエティ［禁酒協会］」が設立された。一九世紀、禁酒運動はワシントンに代わって女性たちが先導役をつとめる国民的大義となった。生きるための収入を男性に頼るほかなかった女性たちは、夫をまどわして家庭を壊す〝愛人〟、すなわちアルコールを激しく糾弾した。一八七四年に結成された「キリスト教婦人矯風会」は、一九世紀末には二五万人のメンバーを擁するまでになる。彼女たちは集団で酒場に乗りこみ、ひざまずいて賛美歌を歌った。こんなことをされたら、どんな酔っぱらいでもいっぺんに酔いが醒めてしまうことうけあいだ。ユリシーズ・S・グラントのような年季の入った酒飲みでさえも。大統領となるグラント（任期一八六九―一八七七）は以前、バーボンへの偏愛のために軍歴を中断したことがあるほど酒癖が悪かった。彼は何年もたったのち、選挙民のあいだでの禁酒運動の高まりに抗しきれず、「飲酒という悪徳は、（わたしが）軍を辞すことを決意した理由のうちで比重が小さかったとはいえない」[2]と白状している。

こうした運動のうねりから当然のように、禁酒法（施行一九二〇―一九三三）が日の目を見た。おそろしき禁酒法時代は、発明家トマス・エジソンから「わたしは菜食主義者であり、禁酒主義者だ。だからわたしは自分の脳を活用できる」といった興醒（きょうざ）めな発言を引き出した。禁酒法が施行される前には、フランスの化学者マリアーニがレシピを発明したヴァン・マリアーニ［ボルドー赤ワインとコカの葉を組みあわせたアルコール飲料。健康によいアペリティフとして大いに宣伝され、大ヒットした］を愛飲していたエジソンであったが…。

われわれとしては、エジソンの二枚舌よりも、一八一八年に上院議員ウィリアム・テューダーに次のように書き送ったジョン・アダムズの率直さを評価したい。「わたしは、モラセスがアメリカ独立にとって重要な役割を果したことを公言するのを恥じる理由が理解できません。多くの重要な出来事は、モラセスよりもはるかに凡庸な理由でひき起こされているのですから」[3]。鋭い指摘である。はっきり言おうではないか。モラセスとラム酒なくしては、アメリカの首都はいまでもロンドンであったろうし、三億三〇〇〇万人のアメリカ人は夕方五時に紅茶をすすっていたであろう。なんてこった！

〈原注〉

1　*Drinking In America.* Susan Cheever. Twelve. 2015.

2　*Rewarding Virtue : The Presidency and Benjamin Franklin's Plan for Moral Perfection.* Joseph Walwik. Hamilton Books. 2008.

3　*Magazine Books* n° 102. novembre 2019.

第12章

フランス革命はワインによってひき起こされた

パリ（フランス）
一七八九年七月一〇—一三日

一七八九年七月一〇日。パリ市をとり囲むフェルミエ・ジェネローの城壁のパピヨン入市関税徴収所。嚢（のう）［容器として使われる動物の膀胱］に蒸留酒を入れて運んでいるのではと疑われる男の所持品を検（あらた）めていた官吏たちを狙って、とある建物から石が降りそそいだ。一一日の朝、鶴嘴（つるはし）、シャベル、大きな石、はがした敷石を手にした何百人もの男たちがサン＝マルタン入市関税徴収所を襲撃した。同日の日中、ルイ一六世は財務長官ネッケルを解任する。このニュースが拡散するやいなや、パリ市民の不満はさらに高まった。ネッケル解任は物価高騰をひき起こす、と考えたからだ。ネッケルの失寵を知って反抗心をつのらせた者たちが暴徒となり、サン＝ラザール通りとラ・ショセ・ダンタン通りの交差点に位置するブランシュ入市関税徴収所を襲って火をつけた。「入市関税徴収所戦争」である。パリの空を焦がした炎は、革命の狼煙であった。

　翌日の午、弁護士かつジャーナリストのカミーユ・デムーランはパレ・ロワイヤルで「武器をとって政府を倒そう！」とよびかけて群衆を熱狂させた。一五世紀の俗諺が「激しい腹痛をひき起こし、山羊を踊らせる」と揶揄するワインを産出するピカルディー地方で生まれ育ったデムーランは、人生を楽しむタイプだった。パレ・ロワイヤルでのアジ演説から二か月後、ミラボー［伯爵だがフランス革命初期の中心的指導者］の家に招待されたデムーランは、「彼［ミラボー］のところにあるボルドーワインとマラスキーノ［サクランボのリキュール］は、わたしが認めまいとしても認めざるをえない価値をもっている。わたしは、共和主義者としての禁欲をとりもどそうと四苦八苦している。こうした豪華なディナーを楽しむという罪を犯している貴族たちを憎むべきなのだが[1]」との感想をもらすことになる。カミーユは、多くの場合に世界を酒瓶の底から眺めるという素敵な性向の持ち主だった。一七九一年七月一七日にシャン＝ド＝マルスの発砲事件［パリの練兵場に集まった群衆に対して国民衛兵隊が発砲して最大五〇人ほどの死者（数字には諸説あり、一〇人程度との話もある）が出た。これが何千人もの死傷者が出た、と宣伝されたことで革命急進派が勢いづく］が起きたとき、ラファイエット侯爵が指揮する騎兵隊［国民衛兵隊］を非難したデムーランは、騎兵たちは「ワインと復讐という二重の酔いによって燃え上がり」、「血に渇い[2]」ていた、と断じた。

話を一七八九年七月一二日に戻そう。この日の午後、テュイルリー宮の庭で、黒いクレープをかぶせたネッケルの胸像を先頭にしたデモが行なわれた。テュイルリーのテラスに陣どった群衆がビンを投げはじめると、ランベスク公［シャルル・ウジェーヌ・ド・ロレーヌ、宮廷とその周囲の治安を担当していた］がルイ一五世広場［現在のコンコルド広場］に集まった群衆への攻撃を命じた。興奮はエスカレートし、一二日と一三日、パリをとりまく五五の入市関税徴収所のうち四〇が放火された。ワイン商人とブドウ栽培業者が放火犯たちに合流し、すぐさま合い言葉が決まった。「三スーのワイン万歳！　一二スーのワインを打倒せよ！」第三身分擁護も襲撃の口実となった。入市税関の官吏たちが個人として所有していた何百本ものワインが強奪された。並行して、ワインが陸揚げされるパリの河川港も襲撃された。そして七月一四日、バスティーユ襲撃が起こる。

モムチロ・マルコヴィチは自著『パリは燃える！――一七八九年七月の入市税関の炎上（*Paris brule !: L'incendie des barrières de l'octroi en juillet 1789*）』（Éditions L'Harmattan, 2019）のなかで、「バスティーユ要塞の陥落が、入市関税徴収所襲撃から主役の座を奪ってしまった。後者の重要性はかすみ、ほぼ無視されるようになった。入市関税徴収所襲撃に正当な評価をあたえるべきだ」と主張している。マルコヴィチに先立って、歴史研究者ハイム・ブルスティンがすでに指摘しているように、無視できぬ数のパリ市民にとって、専制政治の真の象徴は「フェルミエ・ジェネローの城壁」の各所に設けられた入市関税徴収所や税関事務所であり、バスティーユ要塞の重要性はずっと小さかった。そもそも、バスティーユが燃えているあいだ、多くの暴徒はまだオルレアン関税徴収所とモンパルナス関税徴収所のあたりで気勢を上げていた。正当な値段で一杯やるためなら、酒好きのパリジャンたちはなんでもやる気だった！

しかし、酒に渇（かわ）いていた、もとい、革命に飢えていたパリ市民をこれほどまでにいらつかせた「フェルミエ・ジェネローの城壁」とはいったい何だ？　王権は一七八四年、徴税請負人たち（フェルミエ・ジェネロー）の発案に応じ、市内に運びこまれる物品――これにはワインもふくまれる――に課せられる関税を徴収するために、パリの周囲に城壁を築くことを決めた。一七八五年、建築家クロード・ニコラ・ルドゥーの指揮監督のもと、五五の関税徴収所をつなぐ長さ二四キロの城壁が建設された。その際に当局がとくに重視したのは、パリ市北部の縁辺に存在していた酒場［ガンゲット］を城壁内にとりこむことだった。ワインの入市と消費を監督下に置くことは、パリの役人にとって以前より重大な関心事だった。アルコールの話となるとお決まりだが、表向きの理由は、〝度を超した飲酒が市内にひき起こしかねないさまざまな騒動や迷惑の防止〟であった。しかしほんとうの理由は、酒はくめどもつきぬ税収の源だからだ。

一三五一年、パリの商人頭（がしら）［市長に相当する］は「ヴァンドゥール・ド・ヴァン」とよばれる官吏組織をつくった。ワイン流通を規制監督する役人の組織である。そして一四一六年には王令によって「ジュレ・ヴァンドゥール・ド・ヴァン」という官吏制度が設けられた。その主要な使命は、パリのワイン市場を闇取引から守ることだった。「フェルミエ・ジェネローの城壁」誕生よりはるか昔から、パリに流入するワインには重税が課されていたのだ。しかし、入市関税をとりたてる仕事はなかなかの難事（なんじ）であり、閑職とはほど遠かった。

一六三九年六月一八日付けのパリ評議会裁決は、「これらの監視員にくわえられる暴力、強圧的行為、乱暴」に言及し、「ヴィルジュイーフ村、ジャンティイ村、イヴリ村およびその他の周辺地域、ならびにサン＝ヴィクトールおよびサン＝マルセルのフォーブール［フォーブールは市壁の外にある街区］の住民たちは、昼夜をたがわず、自分たちの村落およびフォーブールから、大型の壺や樽でワインを運びこみ、しかも一銭も関税を支払わない。彼らは棍棒、剣、ピストル、小銃で武装した一〇〇人以上の男を護衛につけていて、役人を関税の建物に閉じこめ、監視員たちを打擲して息もきれぎれにし、任務の遂行をさまたげている」[3]と深刻な状況を伝えている。関税に対する抵抗は時間とともに激しくなったが、当局の姿勢は変わらず、革命前の一〇〇年間に税率はあいついで引き上げられた。そもそもワインには、ブドウ収穫から酒場での消費にいたるまで、さまざまな段階で税が課されていた［歴史的経緯により、地方ごとに適用される税制は異なり、非常に複雑だった。パリのような消費人口が多い大都会の間接税負担は大きかった］。いつの時代も同じであるが、酒は国にとって大きな税収源であった。

　入市税はパリの入り口で徴収された。だが、パリはどこからはじまり、どこで終わるのだ？　土地台帳に記されるパリ市の境界線は財政上の理由で決められた。ルイ一三世は一六三八年、首都パリの外周に境界標石を設置するよう命じた。国王はこの機会に、それまでは村と規定されていたサン＝ジェルマン・デ・プレ、サン＝ジャック、サン＝マルセル、サン＝ヴィクトールをパリ市内に組み入れた。息子のルイ一四世は、サン＝トノレ門とサン＝ドゥニ門を越えたパリ北部に新たな境界標石を設置させた。

ゆえに、パリ市民たちはごく早い時期からワインを適正価格で消費するために長距離行軍を強いられ、直売する生産者のところまで足を運ぶ羽目になった。酒を飲みたいというごく自然な欲求に応えるため、目ざとい商売人たちは郊外に酒場（ガンゲット）を開いた。一八世紀の終わり、人口五〇万のパリの酒好きたちはガンゲットまで足を運び、屋外の四阿（あずまや）で、市内と比べて四分の一の値段でワインを堪能していた。しかも、飲むあいまにペタンクや九柱戯に興じながら。ガンゲットはやがて、特別な機会に訪れる場所というよりも、労働者たちが毎日のようにやってきて食べ物や飲み物を買い求める場所となった。当時の流行歌には「楽しそうな人々であふれかえるラ・クルティーユを見ずして／陽気な連中が集うレ・ポルシュロンに足繁く通わずして／パリを訪れることは／ローマを訪ねて教皇さまにお目にかからないのと同じだ」という一節がある。「バッコス神に捧げられたあした場所で／ワインが目から噴き出すほど飲むといい」という下（くだ）りもある［ラ・クルティーユは、「フェルミエ・ジェネローの壁」の外にあり、多くのガンゲットがならんでいる場所であった。レ・ポルシュロンも、壁の外にあった］。

革命以前、パリの市内および郊外にはあわせて二万四〇〇〇ヘクタールのブドウ畑があり、フランスで一番のワイン産地を形成していた。二世紀前にアンリ四世に愛された、シュレンヌ［パリの西郊外］の丘陵地帯のワインとはほど遠い、ひどい味のワインやピケット［ブドウのしぼり滓に水をくわえた飲料］が主流ではあったが。一七八九年当時、だれもがあたりまえのように、首都にワインをこっそりともちこもうと知恵をしぼった。フランス全土に不穏な空気をともなう社会不安が高まるなか、入市税関の役人も裁判官も積極的な取り締まりにふみきれなかった。もしかしたら、酒飲みたちの信じられないくらいの創意工夫に舌を巻いていたのかもしれない。

一七八八年七月一日付けの報告書のなかで、国王とパリ市に仕える検察官、エティス・ド・コルニは、ブリキやゴム引きタフタで作られたパイプが市門の下を通り、建物から建物へとつながっていた、と報告している。こうしたパイプが約八〇本も発見された！　密売を試みる者たちは、足元だけでなく、上方にも目を向けた。ヴィレットという男は、壁の外、モントロン通りに面した自宅に屋根裏部屋を造らせた。そして、この屋根裏部屋から市門の上を超すようにして安ワインが入った袋を市内に送りこんだ。モニエという男は、小型のカタパルト（射出機）を使って、蒸留酒やワインがつまったボールを市内の沼まで飛ばしていた。モニエを逮捕しにやってきた憲兵隊は、投石や棍棒で反撃された。むろんのこと、このモニエはワイナリーとガンゲットを所有していた。彼はきわめて富裕であり、「市監視官」というたいそうな肩書きの持ち主でもあった！

ゆえに、税関の城壁はおぞましいものとして憎まれ、ルイ一六世の専制政治の象徴とみなされた。「Le mur murant Paris rend Paris murmurant（パリを閉じこめる壁に、パリは不満をつぶやくようになった）」という、mur（ミュール）という音がくりかえされる言いまわしが流行った。一七八一年、作家ルイ＝セバスティアン・メルシエ（一七四〇―一八一四）は自著『タブロー・ド・パリ』〔邦題『一八世紀パリ生活誌』、原宏編訳、岩波文庫〕のなかで、「驚くべきフェルミエ・ジェネローの城壁」を手厳しく批判し、「人々からもっとしぼりとるために税を支払わせるとは、これよりもうまい話があるだろうか？」と皮肉っている。当時の版画の一つは、「主よ、税関と税務裁判所の役人からわれらを救いたまえ」と神の憐れみにすがっている…。一七八九年七月の一二日から一三日にかけての夜、叛徒たちは関税徴収所で取り締まりにあたっていた官吏を追いはらい、関税事務所に押し入り、人の出入りと収税を記録した呪わしい帳簿を焼きはらうことで長年の鬱憤を晴らしたのだ。

これで入市関税は過去の話となった？　残念ながらそうは問屋が卸さなかった。七月一六日、革命派で占められた国民議会は税関事務所を木造で再建し、入市関税を維持することを決めた！　国民衛兵が関税の支払い遵守に目を光らせた。しかも、「入市税関兵」部隊の結成によって監視が強化された。

これは、革命を熱狂的に支持した者たちを否定する裏切り行為である。一七九〇年の冬の終わり、税務裁判所は一七八九年七月の放火犯たちに対する裁判手続きをはじめた。検事総長のクレマン・ド・バルヴィルに言わせると、放火に参加した者たちを駆りたてたのは崇高な革命の理念ではなく、「抑制の効かぬ酩酊と一時的な錯乱」にすぎなかった。一九世紀、歴史家イポリット・テーヌはうんざりとした口調で次のように記すことになる。「（あれらの暴徒は）社会の澱（おり）である。（…）〝下層民〟がほしがるのは、〝安ワイン〟だからだ」。ふん、だからなんだ？

一七九〇年、（税関焼き討ちに参加した何千人のうち）一二人が逮捕され、裁かれることになった。裁判がはじまる前に国民議会は訴訟手続きを無効と決め、すべての容疑者を釈放した。だが、入市関税の境界線は広げられた。

一七九一年一月二〇日、憲法制定国民議会はついに、パリをふくむすべての都市の入り口で徴収される入市関税が五月一日をもって廃止される、と宣言した。パリ市民がラ・シャペル入市関税徴収所で新たに騒動を起こし、死者が出たことを受けての決定だった。二月一九日、ワインは「平等主義、共和主義、愛国主義を体現する飲料」である、と宣言された！　したがって五月一日はお祭り騒ぎとなった。ワインを積んだ三四一台もの荷車と、オルレアン産の蒸留酒二七万八三九リーヴル［重さの単位としての一リーヴルは約四九〇グラム」が自由にパリ市内に入った。パリ市民は幸福に酔いしれ、シャン・ゼリゼ入市関税徴収所の前で踊った。国民衛兵の音楽隊は市内をめぐって演奏し、入市関税徴収所も税関事務所も破壊された。廃兵院とポン・ヌフで祝砲が撃たれた。税抜き価格でワインを楽しめるようになったことはそれほどの慶事とみなされたのだ。

だがアルコールがらみの戦いに終わりはない。革命暦七年葡萄月二七日（一七九八年一〇月一八日）の法律によって、パリの入市税関は復活した。名称は「慈善のための入市税関」だった。一八三二年、大工組合に属するある職人が演説をぶって、「胃を元気にすることなくふくらますばかりの水をごくごくと飲んでジョッキを何杯も空にする」ことを嘆き、「なぜ俺たちは食事のときにワインを飲めないのだ？（…）あのいまいましい税金がなければたった四スーであるはずのワイン一杯に、七スーも払わねばならん[4]」と不満をぶちまけた。大工はこの反論不能の論法をつきつめ、労働者はワインより安い蒸留酒を飲まざるをえないが、「これは家庭や健康を害する！」と結論づけた。

ゆえに、ルイ＝フィリップの七月王制を終わらせた一八四八年の革命の雄叫び（おたけび）は「改革万歳！　入市税打倒！」だった。聞きおぼえがある台詞（せりふ）だ…。一八五一年一二月三日、ヴィクトル・ユーゴーの提案にもとづき、議員たちは新たな法令を採択し、「入市税は、共和国全土において廃止される」と決まった。だが、実際にはなにも起こらなかった。一八八五年九月一二日にも、議会で同様の決定がくだされた…しかしこうした法令を実施に移すための方策は一つもとられなかった。一八九五年と一九〇六年にも、同じような法律案が提出されたが効力を発揮するにはいたらなかった。

ゆえに一九世紀において、体制に不満をもつ者にとって入市税は〝打倒すべき制度の象徴〟であった。アルフォンス・ド・ラマルティーヌ［ロマン派を代表する詩人］、レオン・フォシェ［ジャーナリスト、政治家］、エミール・ド・ジラルダン［新聞王、政治家］といった酒好きの著名人たちが入市税廃止派となって論陣を張った。その一方で、入市税関からはスターも誕生する。マイエンヌ県出身で、パリ市税関に一八七〇年から一八九三年にかけて第二級職員として勤務した画家アンリ・ルソーである。アルフレッド・ジャリが冗談半分に「ドゥアニエ［税関吏］・ルソー」とよんだのが通り名となった。ルソーは一九一〇年九月二日にパリのネッケル病院で壊疽（えそ）のために亡くなったが、「アルコール依存症」患者として登録されていた。

一八九四年一月一〇日、飲料公報に「入市税打倒！」という勇ましいタイトルの署名記事が掲載された。署名者たちは、自分たちは南仏ミディ地方の議員たちから支持されている、と述べ、入市税を即刻廃止せよ、さもないと…とせまった。パリが頑迷（がんめい）にワインに課税しつづけるのであれば、地方は首都から発送される物品の受けとりを拒否するであろう！との警告である。しかしパリはしぶとくもアルコールにやさしくない政策を変更しようとしなかった。

入市税に決定的に終止符が打たれるには、ピエール・ラヴァル［第二次大戦中、対独協力的なヴィシー政権下で首相をつとめた。戦後は国家反逆罪（対独協力）を問われ、銃殺刑に処せられる］の登場まで待たなければならない。一九四三年七月二日、ラヴァルは入市税廃止法案を議会で採択させた。同法は一九四八年に正式に施行された。ワインが自由にパリに流入するようになったのは、歴史によって断罪されているヴィシー政権のお陰なのだ。

〈原注〉

1 *Œuvres de Camille Desmoulins*. Charpentier Éditeurs. 1874.
2 *Camille Desmoulins et Roch Marcandier : la presse révolutionnaire*. Édouard Fleury. Didier Éditeur. 1852.
3 *Le roman de l'alcool*. Pierre Fouquet, Martine de Borde. Seghers. 1986.
4 ウェブサイトgallica.bnf.frで閲覧可能。

第13章

パリ（フランス）
一八四四年八月二八日

マルクス主義は、一〇日間続いた酒盛りの結実だった！

パリのパレ・ロワイヤル広場とサン＝トノレ通りの角を通りすぎるときは、ぜひともカール・マルクスとフリードリヒ・エンゲルスに思いをはせていただきたい。皆さんは知っているだろうか。マルキシズムはパリで誕生したことを。

一六八一年から一八五四年まで、ここにはカフェ・ド・ラ・レジャンスがあった［その後、ナポレオン三世によるパリ大改造にともなってサン＝トノレ通りに移転し、一九一〇年に廃業」。知名度抜群のカフェだった。新思潮の発信源であると同時に、すぐれたチェスプレイヤーたちの溜まり場であった。ディドロ、ルソー、アルフレッド・ド・ミュッセ［一九世紀の詩人、作家］、ジュール・グレヴィ［一九世紀の弁護士、政治家］、ベンジャミン・フランクリンなど、綺羅(きら)星のごとき有名人が通ったことでも有名だ。一七九八年ごろ、ナポレオンも出入りしていた、ともいわれる。ディドロは『ラモーの甥』（執筆は一七六〇年代）のなかで、このカフェを次のように描写している。「パリは世界を代表する場所であり、どこよりもチェスを楽しむことができるカフェ・ド・ラ・レジャンスはパリを代表する場所である」

一八四四年八月、マルクスとエンゲルスはそれぞれ二六歳と二三歳だった。マルクスはパリでアルノルト・ルーゲとともに雑誌「独仏年誌」を発行していた。エンゲルスは一八四二年よりマンチェスターで、父親が所有する紡績工場の経営にたずさわっていた。二人は以前にケルンで会ったことがあるが、マルクスは当初、エンゲルスに悪印象をいだいた。「ろくでもない連中とつるむことで無為を忘れようとしている、大金持ちのアマチュア左翼」というイメージだった（たしかにエンゲルスは富裕な実業家の息子であり、酒場で青年ヘーゲル派［ヘーゲル左派］の仲間と喧々囂々(けんけんごうごう)と議論するのが慣わしだった）。だがその後、エンゲルスが「独仏年誌」に寄稿した論文にマルクスは感銘を受け、気持ちが変わっていた。そのエンゲルスがマンチェスターからプロイセンに戻る途中、パリに寄ることになった。

八月二八日、二人はカフェ・ド・ラ・レジャンスでアブサンとビールを痛飲し、意気投合した。マルクスは生涯、貧困に苦しめられる人物であり、酒をおごられると断わることができなかった。エンゲルス伝の著者であるトリストラム・ハント[1]は、「一〇日間におよぶビールの酒盛りが、死によってのみ終わる私的および思想的な連携関係を固めた」と説明している。二人のプロイセン人は、自分たちのあいだには哲学の面でもアルコール嗜好の面でもまたとない親和性があることを発見した。

前年の秋に妻イェニー（ジェニー）をともなってパリにやってきたマルクスは、デュッセルドルフ出身の詩人ハインリヒ・ハイネと親交を結んでいた。なおハイネは、ミュンヘンを「二つの丘にはさまれた村のように、芸術とビールのあいだで蟠踞（ばんきょ）している」と形容し、『ワイン頌詩集』を著わしたりしているので、やはり左党だったようだ。ハイネは友情ゆえに、マルクスがルーゲと発行する「独仏年誌」に詩を寄稿してくれた。

パリは、共産主義者同盟胎動の地だった。ヴァルター・ベンヤミンはこのころのパリを「一九世紀の首都」とよんでいる。ルーゲにとってパリは「世界の歴史が形成され、つねにふつふつとわき出る活力をくみとることができる偉大な実験室」であり、「わたしたちの哲学が勝利するのは、パリとの接触によってフランスのエスプリを吸収したあとでないと不可能だ」と述べている。エスプリのみならず、アルコールもたっぷり吸収したあと、と言うべきだろう。

エンゲルスがマルクスの人生に決定的な登場を果たしたとき、マルクスは淋しい思いをしていた。妻が、生後四か月の病弱な長女をつれて故郷のトリーアに里帰りしていたからだ。足元もふらふらとなってカフェ・ド・ラ・レジャンスから出た二人は、マルクス宅に向かいながら話を続けた。これが、イギリスのジャーナリスト、フランシス・ウィーンがよぶところの「大量のワインが消費された一〇日間の長い夜明かし」のはじまりだった[2]。

人類の未来にとってまことに重要な意味をもつことになるこのとき、マルクスは「世界を変革することが必要なのに、哲学者たちはこれまで、世界を解釈するだけで満足していた」[『フォイエルバッハに関するテーゼ』]との確信にいたったようだ。酒を酌みかわすあいまに、カールと彼の新しい友人は、それからの四〇年間にきっちり守られるmodus operandi（手法）を確立した。すなわち、二人は口角泡を飛ばして議論し、次にマルクスが考えをまとめてエンゲルスが清書する、という手法である。ほんの数日で、エンゲルスは、パンフレット程度のものになるはずの文書の四章を執筆した。エンゲルスがパリを去った後、マルクスは三〇〇ページを書き足した。この大作は、『聖家族』という題名で一八四五年二月に出版される。一世紀後にロラン・バルトが『神話』（ル・スイユ社、一九五七）のなかで述べるように、「多くの知識人にとってワインは、自然の始原の力まで彼らを導いてくれる霊媒的物質となる」のだ。

　この著作のおかげで二人は注目を集めたが、これははじまりにすぎなかった。一八四七年、マルクスは『哲学の貧困』を出版し、自分とエンゲルスがかつて偶像視していたフランスの社会主義者ピエール＝ジョゼフ・プルードンをコテンパンにやっつけた（なお、プルードンは醸造職人の息子だった）。だれでも知っているように、名声を得るてっとりばやい手段は、他人の名声を傷つけることである。何年も先のことになるが、レーニンは『聖家族』をじっくりと読み、詳細な要約を作って大切に保管することになる。

　一八四四年の「世界にゆさぶりをかけた一〇日間」[3]は、きわめつきに実り多い協力体制の端緒（たんしょ）であり、その成果のおもなところだけをあげるなら、『共産党宣言』（一八四八）、そしてマルクスの死（一八八三）後にエンゲルスが第二巻と第三巻を出版する『資本論』である。二〇世紀をゆるがすイデオロギーを生み出すきっかけとなったのが、数リットルのアブサンとビールとワインだった？　既成秩序をくつがえそうとした二人の人生においてアルコールがつねに大きな比重を占めていたことは否定できない。どちらも、その道では立派な履歴書の持ち主だった。

マルクスは、ヴァーヴァーンやトリッテンハイムの発泡ワインやブドウ栽培を大きな収入源としていたトリーアの出身である。

一八三五年、カール青年は父親に送り出されて、最初はボンに、次いでベルリンで歴史と哲学を学んだ。カールはそのカリスマ性と、夜が白々と明けるまでビールを飲み明かす豪傑ぶりで学生仲間の注目を集めた。学生時代に身につけた習慣――夜遅くまで煙草と酒を片手に本を読みあさり研究する――は、死ぬまで抜けることはない。のちに金銭にしばられる資本主義の終焉を説くことになる青年カールは借金を重ね、酩酊とバカ騒ぎによる安眠妨害のために留置場に連行されることもあった。父親のハインリヒは激怒した。

カールの健康は、こうした不摂生によってそこなわれた。一八六〇年代、マルクスはまだ四〇歳そこそこだったのに、虫歯、痔疾、肝臓疾患に悩まされた。ついには糖尿病と結核におかされる。二人で大いに飲んで議論した翌朝、エンゲルスは溌溂（はつらつ）として元気だった。だがマルクスは体調が完全に回復するのに二週間もかかることがあり、イェニーはエンゲルスに、夫にあまり飲ませないでほしい、と懇願した。幸いなことに、一九世紀には、酩酊や二日酔いに効く、というアイディアがあふれていた。飲みすぎで意識を失った人の手当として、酢を喉に流しこみ、こめかみをマッサージすることが奨励されていた。これが効果を発揮しないなら、バケツ一杯の水を顔にぶちまければよい。また、さして革命的なアイディアではないが、灰を混ぜた牛乳を飲めば吐き気がおさまる、ともいわれた。

学生時代からの武勇伝のため、イェニーとカールの結婚話はもう少しでお流れとなるところだった。カールのことを嫌っていたフェルディナント・フォン・ヴェストファーレン（イェニーの異母兄）は、妹の婚約者がどのような生活を送っているかを調べさせた。その結果、義弟になろうという男はカフェで多くの時間をすごし、ワインやビールをがぶ飲みし、黒葉巻をふかし、戦闘的な無神論者たちに囲まれてぺらぺらとしゃべっていたことがわかった。幸いなことにイェニーの父であるルートヴィヒはカールのことを気に入っていたから、二人はぶじに結婚できた。

こうしたアルコール漬けの生活は、マルクスを危険なアジテーターとみなして監視の目を光らせていた諸国政府の記録に明らかだ。プロイセンは一八五二年、やがてビスマルクのもとでシークレットサービス責任者となるヴィルヘルム・シュティーバーをロンドンに派遣した。シュティーバーから報告書を受けとった内務大臣は…義兄フェルディナント・フォン・ヴェストファーレンだった！　シュティーバーはディーン・ストリートのみじめな住居で家族と暮らすマルクスの生活を次のように語っている。「彼はボヘミアン的な暮らしを送っている。体を洗ったり、身なりを整えたり、下着を替えたりすることはまれである。しばしば酩酊し、一日中ふらふらと散策することも多い。就寝時間は不規則だ。徹夜することもたびたびで、午(ひる)になって服を着たままソファに横たわり、周囲を人が往き来しても気にすることなく夜まで眠る」

ワインやリキュールが好きなマルクスのため、エンゲルスはボルドーワイン、ポートワイン、シェリーをつめたバスケットを送るという心づかいをみせた。こうした贈り物がなかなか届かないと、マルクスは焦(じ)れた。二人は一日に二、三通の手紙を互いに書き送っていた。マルクスにとってアルコールは薬だった。彼は、ポートワインこそがカルブンケル（皮下や皮脂腺にできる炎症性の腫物(はれもの)）の特効薬だとみなしていた。しかしマルクスは自尊心の強い酒飲みであった。一八五九年、自然科学者であるカール・フォークトは小冊子を出版し、そのなかでロンドンにおいてマルクスとエンゲルスを訪ねたときのことを語っている。「われわれはまずポートワインを飲み、次にボルドーの赤であるクラレットを、最後にシャンパンを飲んだ。赤ワインのあと、マルクスはすでにすっかり酔いがまわっていた。これこそ、わたしが望むところだった。彼は酔うとふだんより愛想がよくなるので、わたしがいくつかの仮説を確認することが容易になるからだ。しかし、このときは酩酊状態であるにもかかわらずマルクスは最後まで会話の主導権をゆずらなかった」。これを読んで腹をたてたのか、マルクスは翌年に『フォークト氏』を著わし、フォークトはナポレオン三世に雇われたスパイだ、と非難した。

しかし、エンゲルスと比べると、マルクスはベネディクト会修道士のように謹厳だった、といえよう。無神論者であることを公言するフリードリヒ・エンゲルスは、独自の三位一体を信仰していた。オマール海老のサラダ、シャトー・マルゴー、ピルスナービールである。家業を継ぐためにブレーメンの商館で見習い修行をしていたころ［一八三八―四一］、彼は友人に宛てた手紙のなかで、典型的な一日がどのようなものであるかを語っている。「商館には、ビールが大量に貯蔵されている。テーブルの下、戸棚の背後、ストーブの後ろ、いたるところにビールの瓶がある。ぼくたちは、食事が終わるやいなや事務所に駆けつけるという非常に不愉快な習慣をもっていた。仕事への意欲などほぼなかったのに。この有害な状況を改善するため、ぼくたちは屋根裏部屋に二つのとても素敵なハンモックをぶら下げ、食事の後は葉巻をくゆらしながら寝転んでゆらゆらゆれることにした。そして、ときにはひと寝入りする」。このころのエンゲルスは「若い娘を餌食とする不良」であった。

その後に実家に戻ったエンゲルスは兵役でベルリンのプロイセン近衛砲兵隊に入ったが、軍務のあいまに大学に通うようになると「ビール知識人」とよばれるヘーゲル左派の青年たちと交流し、ジョッキを片手に哲学を語った。

ブルジョワ階級の金持ちであったエンゲルスは『イギリスにおける労働者階級の状態』（一八四五）の序文において、労働者の生活の現実に近づきたいと願っているので自分は「中間階級の会合や宴会、ポートワイン、シャンパンを断念」した、と自慢している。ようするに、これからはビールしか飲まない、と（このときは）決めたのである。彼はまた、アルコールのプリズムをとおして階級を分析することを好んだ。同じ本のなかで、労働者階級がいかにアルコール依存症におちいりやすいかを分析している。エンゲルスもマルクスも、酩酊を資本主義の頸木（くびき）がもたらす結果だとして指弾している。

エンゲルスはすでに『ヴッパータール便り』（一八三九）のなかで、ドイツ産業革命の中心地だったヴッパータールの皮革産業労働者たちのあいだで蔓延しているアルコール依存症の惨状を描写し、彼らの五人に三人がシュナップス［ドイツの蒸留酒］の飲みすぎで死んでいる、と推定している。エンゲルス自身は酔っても紳士としての品位を保つことができたので、「酔っぱらいの口から出てくるもっとも下品で卑猥な」歌には眉をひそめていた。

ところがエンゲルス本人も酩酊がひき起こすトラブルとは無縁ではなかった。ある日のこと、マンチェスターで酒場から出たところでけんかとなり、自分に悪口雑言を吐いた人物の目をめがけて傘をふり下ろした。スキャンダルと父親のお仕置きをのがれるため、エンゲルスは被害者に五五ポンド支払った。彼は人生の大半を、父親が工場を所有していたこのマンチェスターですごすことになる。ほぼ同じころ、熱力学の進歩に大きく貢献する研究を続けていたジェイムズ・プレスコット・ジュール（一八一八―一八八九）は、マンチェスター文化科学協会の会員だった。ジュールもエンゲルスと同様に、家業との二足の草鞋で、好きな研究に打ちこんでいた。その家業とは…ビール醸造であった。

労働者がその貧困ゆえに高尚な楽しみとは無縁で、酒とセックスにおぼれることを嘆くエンゲルスだったが、彼が書いた手紙を読むと、酒盛りや遊興の話題がちょくちょく出てくる。一八四五年の夏、彼は労働者オルグのために再訪していたパリでカフェに出入りし、パレ・ロワイヤルの劇場で「滑稽な」コメディを楽しみ、女遊びにも精を出した。高尚な美術館や音楽会に足を向けることなく。だが翌年には、売春を「もっとも具体的な、ブルジョワ階級によるプロレタリア搾取」として糾弾する。「身体の完全性に直接攻撃をくわえること」だからだ。

エンゲルスはパリから、そのころ家族とともにブリュッセルにいたマルクスに手紙を送り、自分に合流するよううながした。「退屈なブリュッセルから一度くらいは外に出るべきだ。これは絶対に必要だ。ぼくも、君と大いに楽しみたい。（…）フランス女性がこの世に存在しなければ、人生には生きる価値などない。グリゼット［もともとは、〝パパ活〟をする貧しい女工をさす言葉。『レ・ミゼラブル』のコゼットの母、ファンティーヌもその一人である］がいるかぎり、文句なしだ！」マルクス夫人のイェニーが、「エンゲルスさん」が夫におよぼす悪影響を嘆いたのもむりはない。社会主義フェミニズムの礎石の一つである『家族、私有財産、国家の起源』（一八八四）をエンゲルスが執筆したのは悪い冗談だろうか。

彼は一人も子どもを作らなかったが、マルクスから永遠に残る称賛を受けた。「エンゲルスは百科事典のように博学であり、昼夜をとわず、酔っていいようと、空腹だろうと、仕事にとりかかることができる」。脱帽である。各国を飛びまわっていたエンゲルスは、ワインが豊富なプファルツ地方が大好きで、主催する会合でビールをふるまうのを自分の義務と心得ていた。

一八六九年、エンゲルスは二〇年目を潮時として家業（紡績業）から引退した。流儀を変えようとしないエンゲルスは、これを祝って、マルクスの次女エリノアとともにごちそうがならんだテーブルを囲み、シャンパンを開けた。彼は人生の終わりまで、アルコールは自分の健康のバロメーターだと考えていた。六七歳だった一八八七年、彼は自己点検した。「ビールはなみなみとそそがれる。わたしは一日にまるまる二本は飲んでいる。（…）

数週間前の日曜日から、わたしはポルトーワインを一杯飲んでいる。これは進歩だ[4]」

エンゲルスがマルクスと酒臭い息をはきながらユニークな親交を深めなかったとしたら、勤労者福祉の進歩は千鳥足の酔っぱらいのようにつまづいたことだろう。だから、あなたがパスティスのグラスを片手に有給休暇を満喫するときには、この二人に感謝すべきなのだ。

この物語のなにが残念かといえば、マルキシズムの二〇世紀における迷走ぶりだ。どの迷走だって？　マルクス・レーニン主義？　何百万もの犠牲者が出たスターリンによる粛清？　中国の文化大革命？　とんでもない！　一九五〇年にマルクス主義の精神科医たちが「アルコール依存症は時代錯誤のブルジョワ病であり、人が人によって搾取されることがない社会主義社会では消滅する」と宣言したことである。マルキシズムの開祖たちがさんざん世話になったアルコールに対してまことに失礼な妄言（もうげん）である。

〈原注〉

1　*Engels. Le gentleman révolutionnaire.* Tristram Hunt. Flammarion. 2012.（トリストラム・ハン

ト『エンゲルス――マルクスに将軍と呼ばれた男』、東郷えりか訳、筑摩書房、二〇一六年）

2　*Karl Marx. Biographie inattendue*. Francis Wheen. Calmann-Lévy. 2003.（フランシス・ウィーン『カール・マルクスの生涯』、田口俊樹訳、朝日新聞出版、二〇〇二年）

3　前掲書。

4　*Marx-Engels*. Jean Bruhat. Éditions Complexe. 1970.

第14章

リンカンが暗殺されるというときに、大統領のボディガードは酒場で深酒をしていた

ワシントン、フォード劇場（アメリカ）
一八六五年四月一四日

アルコールという代物（しろもの）はありとあらゆるやり方で歴史の流れをひっくり返す。たいていは、指導者や兵士たちの頭を混乱させることによって。でも、それでうまくいかないとき

は、なんとか邪魔立てするものをかわす方法を見つけ出す。たとえば、周辺の人物から攻めてみたりするのだ。

ここでは気の毒なエイブラハム・リンカン（一八〇九—一八六五）の例をとりあげよう。彼の生涯を通じて安酒を飲みすぎたことなど一度もない。それなのに、うなじに銃弾を受けて一生を終えた。彼のボディガードだったジョン・フレデリック・パーカー（三五歳）が劇場のすぐ脇の酒場で飲んだくれていたからである。その結果、リンカンが満了した任期はわずか一期に終わった。一方、後任をつとめたアンドルー・ジョンソンは、アメリカ史上最悪の大統領の一人に数えられる。アフリカ系アメリカ人に市民権をあたえることに反対し、あやうく大統領の座を追われるところだった。

一八六五年四月一四日、北軍の勝利に終わった南北戦争の決着から五日がたっていた。アメリカ大統領、リンカンと妻のメアリはワシントンのフォード劇場に『われらがアメリカのいとこ』という喜劇を見に出かけた。従者のフォーブスと御者のフランシス・P・バークが同行し、劇場でジョン・フレデリック・パーカーと落ちあった。一行の到着が遅れたため、芝居はもうはじまっていた。パーカーは大統領専用ボックスの横の通路に設けられた警備員席に陣どった。だが、そこからでは舞台がよく見えなかったので、持ち場を離れてもっとよく見える場所へ移動した。幕間になると、ちょっと一杯引っかけようかという気になった。フォーブスとバークを誘い、三人して劇場のすぐ右にあるスター・サロンにしけこんだ。この酒場のマスターはピーター・タルタヴァル、四〇歳でフレンチ・ホルンの愛好家だった。まあ、そんなことはどうでもいい。

夜の一〇時頃、芝居は再開したが、ワシントン首都警察の警察官パーカーは持ち場に戻っていなかった。

一〇時一五分、場面が第三幕第二場にさしかかる頃、下手人のジョン・ウィルクス・ブースがリンカンの専用ボックスに入り、ポケットから小型のデリンジャー銃を出して一発撃ちこみ、大統領を倒した。捕らえようとする者たちからのがれ（依然、パーカーは不在）、ブースは舞台に飛び降り、「シク・センペル・ティラニス」と叫ぶと逃げさった。これはヴァージニア州のモットーとなっているラテン語で、〝暴君はつねにかくのごとし〟という意味である。ついでだが、ヴァージニア州ではとても上質のライ・ウイスキーがつくられている。リンカンは翌朝の七時二二分に息を引きとった。五六年二か月と三日の生涯だった。ジョン・ウィルクス・ブースは当時人気の出ていた俳優で、熱狂的な南軍支持者でもあった。二週間にわたる逃亡のすえ、身柄確保の際に銃撃を受けて死んだ。

さて、パーカーはどうなったのか。その晩、劇場に戻ったかどうかはわかっていない。そのかわり、翌朝の六時には、リジー・ウィリアムズという〝娼婦〟を引っ立てて、とある交番に現われた。五月三日、職務不履行のとがで告訴されるがこの訴えは六月二日に棄却され、一八六八年に解雇されるまで警察官の身分は保証された。リンカンのボディガードをつとめたウィリアム・H・クルック（彼はリンカンの後任の大統領一一名のボディガードでもあった）はパーカーを決して許すことはなかった。彼の追想録にこう記す。「パーカーは職務を放棄したことを自覚していた。翌朝の彼はまるで有罪判決をくだされた犯罪者のようだった。そしてその後、まったく別の人間になった」。当然の報いというべきか。

さて、結局のところ、リンカンは酒の復讐に遇った、といえるかもしれない。彼は一生、アルコールを敵にまわしていた。リンカンの父、トマスはアルコール依存症の抑止に立ち上がったバプテスト派の信徒だった。その息子エイブラハムは弁護士になり、一度、ある禁酒同盟の女性たちの弁護を担当したことがある。彼女たちはウイスキーの大樽を破壊したことで罪に問われていた。その弁論で彼は語った。「裁判長どの、彼女たちが大樽にあたえた損害と、その大樽の酒が飲まれたすえにひき起こされたであろう損害とを比べてください[1]」。こうしてこの口うるさい女たちは無罪放免となったのだった。

それにしても、リンカンが、前任の大統領たちが示した輝かしい軌跡をたどれなかったのはなんとも残念なことである。たとえばトマス・ジェファソン（任期一八〇一―一八〇九）の場合。彼は駐仏公使時代に大量のワインをたくわえ、のちにホワイトハウスにワインセラーを作って運びこんだ。大統領に就任するとすぐに、酒税を廃止した。一八一八年には、フランスの駐米大使にあてた手紙で釈明する。「ワインが安く手に入る国では、飲酒癖は決して悪習ではありません。ワインの値段が高い国ではそれに代わってアルコール度数の高いスピリッツが飲まれるようになり、酒の節制にはならないのです。ウイスキーのごとき健康を害するリキュールに代わるものとしては、まちがいなく、ワインしかありません。わが国の商人たちは、ヨーロッパで入手できる安くて多種多様なワインの存在にまだ気づいていません」[2]。もう一人、ウィリアム・ヘンリー・ハリソン（一八四一年に就任三〇日で死亡）を例にあげよう。大統領就任以前、彼はトウモロコシを栽培しウイスキー製造のために蒸溜していた。ところがのちにこの行為ゆえに自分は神の前に罪を犯したと告白した。おそらくこの懺悔をみずからへの冒涜とみなしたバッカスの逆鱗にふれ、これほど早く御許に召されたのだろう。

はたして、エイブラハム・リンカンはジェファソンのワインセラーを見くだしたことに罪の意識を感じただろうか。言い伝えではいまだにホワイトハウスにリンカンの幽霊が出るという。最初にそれを見たのはグレイス・クーリッジ、禁酒法に反対した剛直な男、カルヴィン・クーリッジ（任期一九二三―一九二九）の妻である。これまで幽霊はほとんど二階のリンカンの寝室で目撃されている。きっと、いまもリンカンはジョン・ウィルクス・ブースに一杯おごってやろうと、彼の姿を探しているのだろう。

〈原注〉

1 *Abraham Lincoln : A Life.* Michael Burlingame. Johns Hopkins University Press. 2008.
2 *Mélanges politiques et philosophiques extraits des Mémoires et de la correspondance de Thomas Jefferson.* Paulin Éditeur、出版年不明。

第15章

フランクフルト（ドイツ）

一八七一年五月九日

コニャックですっかりできあがってしまったビスマルク、フランス占領からの撤退を承諾！

一八七一年の春、ドイツの宰相、オットー・ビスマルクは幸福な男だった。フランスを屈服させた一八七〇年の勝利の美酒に酔っていたのだ。六か月の戦いにより、プロイセンはアルザス・ロレーヌ地方（現在のバ＝ラン県、オー＝ラン県、モゼル県に相当）を敗戦国からもぎとり、一八七一年一月一八日にヴェルサイユ宮殿鏡の間のシャンデリアの下でドイツ帝国樹立を宣言するというぜいたくを味わった。かわいそうなフランスが、国土の六角形から抜け落ちたこの一角をとりもどすには一九一八年まで待たなければならない。しかし、である。神聖なるコニャックのおかげで、フランスはアルザス・ロレーヌを一八七一年五月の時点でとりもどせたかもしれないのだ。すなわち、さして大きくないこの地方の喪失にフランス国民が根深い恨みをいだき、これが導火線になって第一次世界大戦が起き、連鎖反応として第二次世界大戦が起き、合計で何千万人もが死ぬ、という事態は避けられたかもしれないのだ。そのあたりの事情とは…

五月九日、フランスの財務大臣オーギュスタン・プイエ＝ケルティエは全権大使として講和条約（フランクフルト条約）調印準備のためにフランクフルトにいた。領土問題という難題にかたをつけ、賠償金の額を決めなければならない。賠償金の支払いはフランスにとって頭が痛かった。プイエ＝ケルティエがのちに打ち明けたところによると、二月に財務大臣に就任したとき、国庫出納官が帽子に一〇〇万フランを入れて届けてくれた。国庫に残っていたのはこれだけです、と言って。そもそも、ドイツ軍がフランス国内にまだ居座っていたのは、敗戦国フランスに賠償金を支払わせるためだった。

気温は高く、作業はうんざりするほど面倒だった。幸いなことに、占領国の代表「ビスマルク」と被占領国の代表は馬が合った。ほぼ同年代であり（五六歳と五〇歳）、体形も同じようにがっちりしていて、人生観も一致していた。ルーアンで綿織物工場を経営する実業家だったが政界に入り、大臣となったプイエ＝ケルティエはバイタリティーの塊だった。人生で彼が愛したのは三つ。飲めや歌えやの酒盛り、猥談、そして上等のワインだ。彼の「捕虜を収監する」能力、すなわちブルゴーニュワイン二本を空けるまに料理一皿を胃に閉じこめる能力（食べる前に一本空け、食後に一本空ける）は、交渉相手を感心させた。二人は肝胆相照らす仲となった。時として、世界平和はちょっとしたことで保たれるのだ…

国民議会書記官から県知事へという官僚街道を歩みながら作家としても活躍したポール・ドルモワは『政治喜劇、ある脇役の思い出』（フィルマン＝ディド社、一八八六）のなかでプイエ＝ケルティエとビスマルクの酒盛りを次のように描写している。「ある共通の嗜好が二人を結びつけ、歩みよらせた。どちらも酒瓶をかわいがること一入で、どちらもエネルギッシュな酒飲みだった。二人は酒量を競い、どちらも相手に感服した。二人の飲みっぷりは驚くべきものだったからだ」。おまけに、プイエ＝ケルティエは連帯精神も発揮した。あまり健全とはいえない生活習慣の代償として、ビスマルクは健康問題をかかえていた。「鉄血宰相」の体は鋼鉄のように強靱ではなかったのだ。不眠症、胆石、顔面神経痛に悩まされていたうえ、身長一九〇センチにして体重は一二七キロ、しかも鎮痛のためにアヘン剤まで使っていた。やがては、モルヒネなしでは眠りにつくこともできなくなる。とはいえ、「彼の冴えた頭は酒で朦朧とはならず、食事の前にシャンパーニュ産ワインを二本、アペリティフとして飲むことがしばしばだった」とドルモワは感心している。ただし、かかりつけの医師からやいのやいのと言われたので、レモン汁をくわえたミネラルウォーターを毎日飲むことは受け入れていた。プイエ＝ケルティエが示した連帯精神とは？　ビルマルクと苦行をわかちあうことにして、このおぞましいレモン水を何杯もごくごくと飲み干したのである。

五月九日の夕方、二人はともにフランクフルト条約の文面を読み返していた。突然、ビスマルクは作業を中断して「ビールはお好きかな？」とたずねた。プイエ＝ケルティエは「わたしはなんでも好きです」と胸を張って答えた。二人はそこで、リンゴを原料とするエベルヴァイ（フランクフルト名物のシードル）ではなく、ホップを原料とする古きよき飲み物で喉の渇きを癒やすことにした。一時間後、ビスマルクは「ビールを流しさるのに少しアルコールを飲むのはどうだろう？」と、またまた攻勢をかけた。信じられない話だが、二人はビールを飲みながら一時間ばかり仕事をしていたということだろうか。愛想のよいプイエ＝ケルティエは「あなたのおっしゃることならなんでも」と答えた。後日、プイエ＝ケルティエがドルモワに誇らしげに語ったところによると、「そこで、ビールを消化するために蒸留酒を飲み、蒸留酒を流しさるのにビールを飲みつづけたので、われわれ二人が胃におさめたビールとコニャックの総量はたいへんなものとなった」。地質学者アンリ・コカンがコニャック地方の土壌を調査した結果、一八六〇年ごろにコニャック生産地の線引きが決まったばかりであり、この神々しい飲み物は世界の制圧にのりだそうとしていた。

作家マキシム・デュ・カンは後年、次のように記す。「まるで自国の名誉がかかっているかのようだった。二人は上機嫌であり、〝まずは飲むために乾杯しよう。次に、乾杯するために飲もう〟と歌い出してもおかしくなかった[1]」

夜中の一時半、すべてがかたづいた。公式文書の作成は終わり、あとは署名するだけとなった。ビスマルクはプイエ＝ケルティエの持久力に驚愕した。もしフランス国民全員がこの男と同じようにエネルギッシュだったら、わがプロイセン軍はライン川を越えることすらできなかったろう！　プイエ＝ケルティエは「彼［ビスマルク］は、称賛に近い好奇心をもってわたしのことを見つめていた。だが、わたしはあらゆる試練に耐える胃袋の持ち主なのだ。なにを飲んでも食べても病みつくことはない」と自慢げに回想することになる。彼はここで、スダンにおけるマクマオン元帥さながらに攻勢に出ることにした［スダンの戦いは、普仏戦争の帰結を決めた戦闘。フランスのマクマオン元帥も負傷する］。問題がかたづいたことだし、フランスからドイツ軍がただちに撤退したらいかがかな？　この提案に対するビルマルクの答えは次のとおりだった。「われわれにとっても好都合である。兵士の家族は肉親と引き離されて苦しんでおる。早く家族を帰してほしい、との嘆願が山にようによせられている。未払いの三〇億フランがかならず支払われる、という保証があるなら、ドイツ軍はただちに撤退する」。プイエ＝ケルティィエは、与信力が高い銀行が裏書きする手形で支払う、という案を出した。ビスマルクはこの案に心を惹かれ、承諾した。あとは、ドイツ皇帝ヴィルヘルム一世の承認をとりつけるだけだ。時刻は朝の二時だったので、寝室に引き上げることとなった。三時間半後、一通の電報を受けとったビスマルクは、プイエ＝ケルティィエの肉体がコニャックのアルコール分解に励んでいた部屋の扉をドンドンとたたいた。「皇帝は、あなたの提案を承諾された！　これで一件落着！」

プイエ＝ケルティィエは、行政長官（実質的には大統領）であったアドルフ・ティエールに承認を求めるためにヴェルサイユに戻った［首都の住民がプロレタリアート独裁を宣言してパリ・コミューンを樹立したので、政府組織はヴェルサイユに避難していた］。よくやった、と誉めたたえられる、と確信していた。運がよければ、ティエールが迎え酒を一杯おごってくれるかもしれない…。だが、ティエールは、冷水を浴びせてプイエ＝ケルティエの二日酔いを醒ました。「わたしの権限を侵してもよい、とだれに言われたのですかな？ わたしが議会を掌握するためには、わたし自身が占領地解放の件をとりしきる必要がある、ということがおわかりでないのかな？ ドイツ軍が撤退したら、わたしは、犬が小便をひっかける古い境界標石なみにどうでもよい存在となってしまう。この国の再建のためにわたしが取り組みはじめたことを終わらせるには、二年は必要なのに」。ゆえに、フランスはストイックにも二年間、占領の重みに耐えることになる。賠償金の支払いにくわえ、フランスに居座るドイツ軍の駐留費負担がのしかかった。

以上のエピソードは信じがたいが、ヴィルヘルム皇帝の副官であったレンドルフ伯爵が「本当だ」とマキシム・デュ・カンにうけあっている。「この話は嘘でもなんでもない。ただちに占領軍をドイツによびもどす命令が出るところだった。皇帝は、交渉の結果がひっくり返されたことにお怒りになったほどだ。陛下は、ティエール氏をきつい言葉で批判された[2]」。これにより、フランスはそれから半世紀、一万四四七〇平方キロの領土をもがれたままとなる。そのうえ、最良のワインを生み出す約八万ヘクタールのブドウ畑を失った。さようなら、シルヴァーナー、ゲヴュルツトラミネール［二つとも、アルザスで栽培されている白ワイン用のブドウ］、そしてコート＝ド＝ムーズのブドウ畑！ ドイツ領であった三七年間、アルザス・ロレーヌはドイツ一のブドウ産地となる。ただし、生産量が重視されて品質は等閑(なおざり)にされた。フランス人は、ドイツ人は「ブドウの木に小便をさせている［収量を重視したブドウ栽培をさす表現］」と言って皮肉った。それもこれも、フランス占領からの撤退が決まっていたのに、これをひっくり返したティエールのせいなのだ。

ビスマルクがプイエ＝ケルティエの提案に対してこれほど鷹揚(おうよう)だった裏には、彼が重篤な鬱(うつ)に苦しみ、飲酒におぼれていたという事情があった。だれもが知っているように、鬱と飲酒には切っても切れない縁がある。ドイツには「ワインは秘密を浮かび上がらせる」という言いまわしがあるところを見ると、ドイツ人たちもこのことを知っているにちがいない。ビスマルクが鬱傾向になった遠因を探すには、ザクセン＝アンハルトのシェーンハウゼンに目を向けなければならない。オットー少年はここで生まれ、育った。プロイセンの地主貴族の息子だったオットーは大人になってから次のように打ち明けている。「幼少のころから、わたしは両親の家で異邦人であった。居心地のよいわが家だと感じることは一度もなかった」。教育熱心すぎる母親に息苦しさをおぼえた少年は孤独を偏愛し、鬱傾向を強めた。彼は生涯を通じて鬱に苦しめられる。本人は冗談めかした告白として、「わたしが強硬であるのは、鍛錬の成果だ。わたしの神経はむき出しだ。だからこそ、自分を厳しく律することが、人生唯一のつとめとなった」[3]と述べている。オットーは長ずると、ゲッティンゲン大学で法学を修める。バルバラとパトリシア・カース［いずれもフランスの女性歌手］の歌でフランス人におなじみのゲッティンゲンは大学都市である。お祭り騒ぎと飲酒が大好きなオットー青年は学生時代、一〇年後の自分は「毎年の国王の誕生日に酔っぱらって〝万歳！〟と叫ぶようなやつ」になっているだろう、と述べていた。[4]

一八三九年に、相続した東ポンメルン（現在のポーランド北部）の農場を経営することになった二四歳のオットー青年は、学生時代の予言を実現すべく励んだ。地元の言いまわし、「真実はグラスの底にある」を座右の銘としたのである。見事な手腕で農場経営を軌道にのせた独身の地主は狩猟に夢中となり、奔放な生活を送り、「いかれたビスマルク」や「あきれたビスマルク」といったありがたいあだ名を贈られた。

時はすぎさり、一八六二年、ビスマルクはプロイセン首相に就任する。国王に次ぐ頂点に立ったビスマルクだったが、生活習慣は変えなかった。議会でも、首相の酒豪ぶりは有名だった。一八六三年、閣議の記録から自分の発言の一部が消されていることに気づいたビスマルクは「おそらく、酔っぱらいの戯言だと思われたのだろう」とだけ述べた。一八六七年、万博が開かれていたパリでの三皇帝の晩餐会に同席したことで、プロイセン首相の酒豪伝説はさらに固まった。ホストはナポレオン三世、主賓は将来のヴィルヘルム皇帝［当時はプロイセン国王］、ロシアのアレクサンドル二世とその息子（将来のアレクサンドル三世）だった。この宴会は八時間続き、マデラ酒、ブルゴーニュワイン、ボルドーワイン、ルイ・ロデレール（シャンパン）がたっぷりとふるまわれた。

ビスマルクの鉄血宰相ぶりと暴飲がいかに定評となっていたかは、一八七〇年一一月に「ル・プログレ・デ・ザルデンヌ」誌に掲載された、アルチュール・ランボー執筆の政治攻撃文を読めばわかる。若き詩人は『ビスマルクの夢』と題されたこのテキストのなかで、酩酊状態で欧州の地図を眺めているビスマルクを描いている。アルコールで意識がもうろうとなったビスマルクはくわえていたパイプで地図に火をつける…。とはいえ、ビスマルクも世論からそっぽを向かれないためには、広報戦略上、アルコール度の高い真実は隠すほうが得策だと知っていた。彼の側近の一人だったクリストフ・フォン・ティーデマンによると、一八七五年、鉄道で移動中のドイツ帝国首相は駅に到着するごとにビール瓶をテーブルの下に隠した。そしてティーデマンに、大衆が自分たちの首相に「がっかりする」ことは避けねばならない、と述べた。しかもビスマルクは、ほかの酒飲みに対してかならずしも寛容ではなかった。一八七〇年、彼はバイエルンのルートヴィヒ二世（狂王）がプロイセンに臣従するよう強要した［バイエルン王国はプロイセンの領邦となる］。ルートヴィヒは一八八六年、夕食後に散歩に出て湖で死んだ。溺死ではなく、湖水が冷たかったために心呼吸系が麻痺を起こしたのが死因であった。夕食の席でジョッキ一杯のビール、ライン地方のワインをグラスで三杯、ライスアルコールを二杯飲んだので、心臓に負担がかかったのだろう。［ライスアルコールが具体的にどのような酒をさしているかは不明である。著者に問いあわせたところ、ルートヴィヒ王が最後に飲んだアルコールにかんする情報源は、Claude-Henry du Bord（クロード＝アンリ・デュ・ボール）著の『Les rois fous（狂王たち）』とのこと。ミュンヘンには森鷗外（林太郎）などの日本人留学生もいたので、日本酒がバイエルンにもちこまれていたという可能性も否定できない］

志操堅固（しそうけんご）なビスマルクは人生の終わりまで、「コニャックにまさるものはない」という信念を曲げなかった。一八七五年、顧問であるルーツィウス・フォン・バルハウゼンの訪問を受けたときのビスマルクは気がふさいでいた。フォン・バルハウゼンは日記のなかで、次のように嘆いている。「［ビスマルクは］二分の一羽分の七面鳥を平らげた。胃の通りをよくするため、コニャック一瓶の三分の一と、アポリナリス（ドイツのミネラルウォーター）を二、三本飲み干した。彼は、自分の酒量をわたしに悟らせないために、わたしも酒を相伴（しょうばん）するよう強要した。彼は翌日、自分はビールもシャンパンも嫌になった、コニャックしか飲めない、と打ち明けた」[5]。ビスマルクを弁護するとしたら、彼の侍医にも少々問題があった、と指摘すべきだろう。自然療法の推進者だったシュヴェニンガー医師は、健康を保ちたいのであればコニャックを毎日、小さなグラスで一二杯飲むべきだ、と説いたそうだ。

〈原注〉

1 *Souvenirs d'un demi-siècle*. Maxime Du Camp. Hachette. 1949.
2 前掲書。
3 *Profils prussiens*. Sebastian Haffner. Wolfgang Venohr. Gallimard. 1983.
4 *Bismarck, a life*. Jonathan Steinberg. Oxford. Oxford University Press. 2011.
5 前掲書。

第16章

一万ケースのウォッカのおかげで、日本がロシアに苦杯をなめさせる

旅順（満州）
一九〇五年一月五日

ロシアの旅順要塞司令官、アナトーリイ・ミハイロヴィチ・ステッセルは少し緊張していた。太平洋の縁海である黄海に位置する港湾都市、旅順はすでに六か月前から日本軍に包囲され、ステッセルが指揮をとる籠城戦はかなりの消耗を強いられている。そこで彼はシベリア鉄道の駅まで毎朝出向いては、列車の到着を待っていた。それは『アステリック

スの冒険』でドルイド僧のパノラミクスが岩石の油を待ちわびる姿にどこか似ていた。［アステリックスはフランス人ならだれでも知っている人気漫画。舞台は古代ローマ時代、ローマ軍の征服をまぬがれているガリアの村で、村人たちは魔法の薬を飲むと超人的なパワーをあたえられる。ローマ兵たちはなんとかこの薬を手に入れようと躍起になるが、村人たちに阻止される。岩石の油はパノラミクスが調合するこの秘薬にふくまれる成分で、今日の石油を想起させる］

一九〇五年一月の初め、待ちに待った蒸気機関車が到着した！　籠城軍への補給物資、待望の弾薬や食糧が届いたと思いこんで、興奮を抑えきれないステッセルは積荷を開けさせた。一万ケースの箱がバールで一つ一つ開けられていく。だが一時間後、観念せざるをえなかった。汽車に積みこまれていたのはすべてウォッカ、量にして数十万リットルに相当していた。旅順の町にはもうウォッカがあふれているというのに！　万策つきたステッセルは、日本の司令官に降伏の用意があることを告げた。旅順の軍法会議と敬愛するツァーリ、ニコライ二世（一八六八―一九一八）はこれに反対したが、ステッセルはもはやこれまで、とその主張を曲げなかった。一月五日、日本はロシアの降伏を受諾した。生き残った二万三四九一人のロシア兵士（うち一万六〇〇〇人は傷病兵）、八六八人の将校、それに九〇〇〇人の民間人船員とその家族は戦争捕虜として大阪の浜寺などの収容所に移送された。

八か月後の九月五日にロシアがポーツマスで講和条約に応じ、日本は朝鮮半島における優越権を回復、アジアに台頭する列強としての地位を明確にした。一方のステッセルは一九〇六年に軍務を解かれ、軍法会議にかけられて死刑宣告を受けたが、一九〇九年、皇帝ニコライ二世から恩赦を受けている。

日露戦争（一九〇四―一九〇五）の勝敗を決する契機となった旅順攻囲戦は、この戦争が日本軍の勝利に終わった理由を端的に示している。日本がこの攻防を制したのではなく、ロシア軍が底なしに酒をくらって戦いに敗れたのだ！　一九〇四年よりロシアの蔵相はウォッカを値上げし、販売商の数を増やして利益を戦争につぎこんだ。さもロシア国民がもっとウォッカをほしがったかのように。アルコールは国家の専売品だったから、この措置で財政はうるおったが、破滅へとつき進むことになった。たくさん酒を飲みたければ戦うしかないとわかっていた若いロシア兵たちは、意気ごんで戦地に向かった。国元の壮行会で酒を大盤ぶるまいされて家族と別れ、汽車に乗ってやってきた彼らは、アルコール臭をぷんぷんさせながら停車場のある町々を通りぬけ、住民を震えあがらせた。あまりのことに警察が、汽車が停車場に止まるたびに兵隊たちの下車を禁じたほどだった。

一八世紀以降、帝政ロシア軍はチャルカ［ウォッカをそそぐショットグラスの意。転じてウォッカをさす」の配給制度を確立した。これにより、軍人には一人一日あたり一二五ミリリットルのウォッカが支給された。だがこれきしでは、もらったうちに入らない。当然、兵士たちは身銭を切って安酒を買い求める習慣を身につけた。実際、あらゆる手段を駆使して酒に群がった。一九〇四年二月八日、日本軍は旅順港に停泊していたロシア艦隊に奇襲攻撃をしかける。戦争が勃発し、旅順の包囲がはじまった。包囲されている人間は、退屈でることがない。ロシア人が退屈すると、喉が渇く。退屈したロシア人は喉が渇くと、酒にはしる。

その年の秋、バルト海のリバウ港を出港してまもないバルチック艦隊［旅順艦隊を援護するためバルト海を出港したロシア太平洋艦隊を日本側ではバルチック艦隊とよぶ］の将校、エフゲニー・ポリトゥスキーは、旅順帰りの士官から聞いた話として、はるか遠く旅順港に停泊し、海からも陸からも敵軍に包囲されて身動きのとれない旅順艦隊の乗組員の熱狂ぶりに驚いていた［ポリトゥスキーはバルチック艦隊に乗りこみ、軍艦の修理にあたった技術将校。航海のあいだのできごとを詳細に記録し、妻に宛てた書簡として送りつづけた。一九〇五年、日本海海戦で戦死した］。だれもが上陸して戦いたがっていた。そして、運よく船に戻ってきた水兵たちは、これまた驚いたことにすっかりできあがっていた。まぬけではなかったポリトゥスキーは、ようやく理解した。なるほど、水兵たちは市中を探しまわってもアルコールが見つからず、日本兵を殺してブランデーや日本のサケをぶんどろうとしているのだ、と。彼は開いた口がふさがらなかった。酔っぱらうためなら、命を危険にさらすことも厭わないとは！　ある将校は、来たるべき敗北にそなえて言いわけまで用意した。「日本人はサケをじつにちっぽけなグラスで飲む。あれではビールほどにも酔えない」[1]。こういう慧眼の軍人こそが、総司令官に任命されるべきだった。

考えさせられる逸話だ。この戦争で、兵卒たちの士気は上がらず、庶民の支持も得られなかった。庶民は権力にあらがうことにせいいっぱいだったし、後方では、農民一揆、騒乱やストがあいつぎ、悲観論が支配的だった。それなら、もう飲むしかない。というわけで、だれもが酒におぼれ、赤十字はウォッカの補給を止めようとせず、籠城軍に一〇倍もの高値で転売した。

敗戦の数週間前の旅順のようすは、その一五年後に禁酒法のしかれた当時のシカゴの「手がつけられない、不道徳で俗悪[2]」な状況によく似ていた。シベリア鉄道ではるばる運ばれたものは、すべてウォッカとキャヴィアだった！　あるロシアの新聞社の特派員によると、みな腹をすかせていたが、まちがいなく飲み物には不自由しなかった。さきのアステリックスでいえば、旅順はローマ軍が要塞を築いて投げやりな日々をすごしたババオルムやプチボノムの野営地のようだった。

町の入口には、山積みに重なりあった何千というウォッカのケースが積み上がり、さながら凱旋門のようだった。町全体が酒場と化し、みな先を争って飲みに行った。兵士たちは上官の手もちの酒に突進し、上官たちも部下の手本になるようなことはなにもしなかった。高級士官であるボリス大公は、看護兵に変装して街頭で飲んではくだを巻いた。あるコサックの大佐は酔った勢いでアメリカ人ジャーナリストにからみ、いっしょに飲まなければ殺すとおどした。国際ホテルでは、大佐や将校たちが日がな一日乾杯をかわしては時をすごしていた。毎晩、乱痴気騒ぎがくりひろげられ、朝食はシャンパンつき、それをのりきった者たちだけが、ようやく中国人のボーイに自室までかつぎこまれるのだった。第三共和政下の政治家で文人でもあったアンリ・ガリ（一八五三―一九二二）は、旅順でこう記す。「ウォッカは忘我と歓喜をもたらす強力な薬だ」。生まれが［シャンパンのふるさと］シャロン・アン・シャンパーニュで、酒には詳しいにちがいないガリならではの考察である。

ほかにも、ある外国人特派員はのちに日露戦争を評して、酔った兵士としらふの警官が街頭でくりひろげた殴りあいのようだと語った。そもそもロシアでは、日本軍が旅順の中国人を買収して、ホアンチュウ［中国の米などを原料とする醸造酒。紹興酒や老酒もふくまれる］という地酒（アルコール度数一二度から二〇度、おそるべき数字！）をロシア人にぞんぶんにふるまわせた疑いがかけられていた。日本人には悪知恵があった一方で、自分たちにはその知恵がなかったことを、いわば体を張って証明したことになる。

一九〇四年の夏じゅう、ロシア皇帝ニコライ二世は日本に対して憤懣（ふんまん）やるかたない思いをいだいていた。そもそも彼は皇太子だった一三年前、日本で一人の巡査に刀で切りつけられて以来、日本人をひどく嫌っていた。彼は事態を打開しようと、叔父のロシア大公アレクセイ・アレクサンドロヴィチに相談した。生気に富んだこの人物は、船上ですごすよりビアリッツやパリでご婦人方とたわむれたりシャンパンを飲んだりする時間のほうが長かったが、それでもロシア帝国艦隊の最高司令官におさまっていた。フランスが大好きで、「大公のはしご酒」という表現が生まれるほど、豪遊をくりかえしていた。一八八一年から海軍のトップとして業績をあげ、とくに旅順軍港の改修に腕をふるったが、そこでエネルギーを使いはたしてしまった。

最高司令官は甥のニコライ二世とともに、かなり強引な計画をひねり出した。バルト海で第二太平洋艦隊［日本でよぶバルチック艦隊］を編成し、六〇〇〇キロ離れた太平洋の旅順へ派遣して、包囲されている同胞の救出に向かわせるというのだ。地球儀を手にとっていただきたい。通常、〝最短〟ルートはスエズ運河を通るだろう。しかし、紅海での日本軍の待ち伏せをおそれたアレクサンドロヴィチは大艦隊の半数にアフリカの最南端、喜望峰を通るルートをとらせた。これは、過去に蒸気船の商艦隊がとったなかでも最長のルートだった。

一九〇四年一〇月一四日、バルト海からジノヴィー・ペトロヴィチ・ロジェストヴェンスキー司令長官の指揮する四五隻の軍艦が出港した。竣工したばかりの新造艦もあったが、船員たちみずから「おんぼろ船」と名づけた旧式の装甲艦もあった。水兵たちの多くは田舎から出たこともないアルコール漬けの百姓の出で、船乗りの経験がなかった。これがたたって…、マルクス兄弟「アメリカで二つの大戦間の時期に人気を博した五人兄弟のコメディアン」にもひけをとらない奇想天外な行動をひき起こしてしまう。海軍ではウォッカが毎日二度配給されたこともあって、さっそく、滑稽な事件が次から次へと起こった。デンマーク沖を航海中、一人の見張り番が一隻の漁船を発見し発砲したが、実際には、それはロシアが情報収集の目的でチャーターした船だった。八か月間、ロシア海軍はあちこちで日本軍の幻影に脅えたが、当の日本軍は満州で冷静にロシア艦隊を待っていた。

ほどなくして、工作船カムチャツカの船長より、八隻の水雷艇から全側面へ攻撃を受けたと悲痛な連絡がとびこんできた。その場で水雷艇を見た者はいなかったが、数時間後に不審な信号を発する数隻の船舶に遭遇し、二〇分間にわたり砲撃した。あくまでも念のために。じつは敵艦と見誤ったのは、デンマークとイギリスの底引き網漁船だった…。完全に冷静さを失ったロシア軍は味方の船艦二隻にも発砲し、一隻の底引き網漁船を撃沈して数名の漁民を死傷させた。ロシア人が酒をたらふく飲んでイギリス人と戦ったのだろうか？　サッカー欧州選手権二〇一六の際、マルセイユのヴュー・ポールで起こった騒ぎを思い出される方もあろう［二〇一六年、イングランド対ロシア戦の前後に両国のサポーターたちが乱闘をくりひろげた］。ともあれ、これが〝ドッガーバンク事件〟の真相で、相手のイギリスが日本の同盟国だっただけに、ますますやっかいな問題となったのだった。［一九〇二年に日英同盟を締結していたイギリスは、日本の立場に理解を示していた。この事件の発生で、イギリスの対露感情は悪化し、寄港地の多くがイギリスの植民地だったため、ロシア艦隊の入港を拒否して燃料補給を制限するなど、ロシア側を大いに苦しめた］

旅順までの残りの航海を、彼らはありとあらゆることに祝杯をあげながら時間をつぶし、アルコールを掠(かす)めとるためにほかの船を襲撃した。多くの船員たちが船べりをつたって姿を消してしまったのは残念だった。なぜなら、あと数十年待てば、薬草調合師のマリア・トレーベンが中世の処方から復活させた二日酔いの特効薬の恩恵にあずかることができただろうから。その特効薬の処方とは、ニガヨモギの粉末、ミルラ、サフラン、センナの葉、カンフル、ルバーブの根、トネリコの実、チャボアザミ、それにアンゼリカの根を一リットル半の蒸留酒に一四日間漬けたものだ。

長い航行のすえ、一九〇五年五月二七日、ロシア艦隊は朝鮮と日本にはさまれた対馬海峡で、海軍大将東郷平八郎率いる日本連合艦隊の迎撃を受け、すぐさま撃沈された。五月二八日の朝、数百本の酒瓶と四四〇〇名のロシア海兵隊員の死体が海峡の海にただよっていた。

その年の一月に旅順は陥落していた。敵軍の到着時に、ロシア軍はウォッカもふくめて備蓄の食糧に火をつけるよう、兵士に命令した。兵士たちはそれを拒絶し、燃やすぐらいならと喜んで酒を飲んでしまった。結果はご想像どおり、退却の途中で、銃はなくすは、卑猥な歌は歌うは、満州の地面にぐったりと倒れこむは、のていたらく。やってきた日本軍はやすやすと銃剣でとどめを刺していった。その間に、参謀たちはシベリア鉄道に乗り、シャンパンで気勢を上げながら現場から逃亡した。九月五日、ニコライ二世［の全権ウィッテ］はポーツマス条約に署名し、日本に対して朝鮮半島における優越権を認めた。日本にいた一五〇〇名近くのロシア人捕虜は解放され、神戸港からヴラジオストクへ向けて出港した。彼らは出発前にしこたま飲んで騒動を起こし、日本の警察が出動しなければならなかった。ロジェストヴェンスキーは世論の非難を受けて退任し、四年後に亡くなった。彼に先立ち一九〇八年には、すでに職務を罷免されていたニコライ二世の叔父のアレクセイ・アレクサンドロヴィチ大公が亡くなり、一一月一八日にパリで葬られた。

ロシア人にとって、この戦争ははじまりも終わりも、ウォッカまみれであった。でも、それは驚くほどのことでもなかったようだ。それに先立つ一八七二年にはいち早く、フョードル・ドストエフスキー（一八二一―一八八一）が惨状を予言していた。小説『悪霊』のなかで、革命家ピョートル・ステパノヴィチにこう言わせている。「ロシアの神は酒にその席をゆずりました。庶民は酔っぱらい、母親たちは酔っぱらい、子どもたちは酔っぱらい、教会に人気はなく、法廷で聞かれるのはこんな言葉ばかりです。『鞭打ち二〇〇（回、筆者注）、または一ヴェドロ（およそ一二リットル、筆者注）払え』。やれやれ、放っておけば彼らの世代はますますのさばります。早く手をうたないと、彼らはもっと酔っぱらいになってしまいます！」

ドストエフスキーの心配ももっともだった。一八六八年生まれのニコライ二世は、作家が危惧していた世代に属していた。若い頃、どちらかといえば遊び人だった皇帝は、パリの高級レストラン、マキシムで酔いつぶれるまでに極上のワインを八本ぶっ続けに空けたことで知られた某イヴァン大公なみの酒豪だった。酒の通人でもあって、クリミアのマサンドラに世界有数の巨大なワイナリーを作らせた。地下に掘らせた七本のセラーは総延長一五〇〇メートルにおよび、現在もなお一〇〇万本のワインを貯蔵する。一九〇八年にはシャンパン商のルイ・ロデレールを〝ロシア皇室御用達シャンパン納入業者〟に認定した。

それ以来、〝ルイ・ロデレール・クリスタル〟の瓶には帝政ロシアの紋章があしらわれている。その当時、ロデレールは毎年ランスに皇帝のワイン醸造所から親方を招き、親方が皇帝用シャンパンの調合に目を光らせていた。

遊び好きだった過去を悔いあらためる者は熱心な信者に生まれ変わる。ニコライ二世ものちにはたいへん信仰に篤くなり、精力的にたくさんの人を聖人に列したり、家族で巡礼にたびたび出かけるようになった。

破滅的な事態をまねいた日露戦争の轍をふまないようにと、彼は第一次世界大戦の開始時にはアルコールの摂取を禁じ、レストランを厳しく取り締まった。一九一七年のロシア革命時、ボリシェヴィキは、皇帝が革命軍を酒の貯蔵庫におびきよせ、酔いつぶして無力化しようとたくらんでいる、と非難した。ニコライの作戦は功を奏さず、禁酒令がむしろ革命突発の要因の一つとなった、と分析する者さえいる。一九一七年三月三日［ユリウス暦、西暦では三月一五日］、退位に追いこまれたニコライ二世は、一九一八年七月一七日、ボリシェヴィキによってその家族とともに銃殺された。こうなるぐらいなら、飲みつづけていたほうがよかったのに。

16　１万ケースのウォッカのおかげで、日本がロシアに苦杯をなめさせる

〈原注〉

1　*The Tide at Sunrise : A History of the Russo-Japanese War, 1904-1905.* Denis et Peggy Warner. Frank Cass. 2002.（デニス・ウォーナー／ペギー・ウォーナー『日露戦争全史』、妹尾作太男／三谷庸雄訳、時事通信社、一九七八年）

2　前掲書。

第17章

フランスのワイン対ドイツのシュナップス＝1：0

フランス北東部の塹壕　一九一四―一九一八年

「戦中に軍に届けられたすべての物資のうち、兵士たちがなによりも待ち望み、喜んだのはまちがいなくワインであった。ワインを入手するためなら、ポワリュ［第一次大戦の兵士たちの呼び名］はどのような危険もかえりみず、砲弾ももともせず、憲兵もおそれなかった。兵士にとってワインの補給は、弾丸の補給とほぼ同程度に重要だった。戦闘員たちにとってワインは、士気と体力の双方を高める興奮剤であった。ゆえにワインは独自の働きで、勝利に大いに貢献したのだ」[1]。ワインにたいそう好意的な以上の言葉をつづった、感じのよい人物はだれだろう？ ワインにルベル式連発銃や五八ミリ迫撃砲と同等の価値を認め、感謝を捧げることを恥じないこの享楽主義者はだれだ？ むろんのこと、フィリップ・ペタンである！「ペタンは第一次大戦で頭角を現わして国民的英雄となり、フランス陸軍総司令官、最後には元帥となる。その後、国民的人気を背景に政界に入る。第二次大戦がはじまり、フランスの敗北が確実となると、ナチ・ドイツとの講和を実現し、ドイツに協力的なヴィシー政権をうちたてる」以上の言葉が書かれたのは一九四五年七月二七日。このときペタンは、国家反逆罪を問われる被告として、モンルージュ（ヴァル＝ド＝マルヌ県）の刑務所に収監されていた。ペタンは死刑を宣告されるが、ド・ゴールによって減刑され、一九五一年に流刑先で死亡する。われわれが以上の言葉をためらうことなく受け入れることができるのは、ナチ・ドイツの協力者となる以前に、ペタンは第一次大戦の英雄だったからだ。ヴェルダンの戦い（一九一六年）の勝者であり、一九一七年のフランス軍反乱［塹壕の劣悪な生活条件、安全なところにいる上官が出すむちゃな突撃命令に嫌気が差した多くの兵士が反乱を起こした。総司令官だったペタンは反乱を鎮め、兵士の待遇改善や戦術の変更を実行する］後の軍の士気回復に大きく貢献した人物だったのだ。この士気回復の秘訣が何だったのかが、明らかになった！

第一次大戦前のフランスではすで、国民一人あたりの年間ワイン消費量は三〇〇リットルに達していた。くわえて、年間で二〇〇〇万リットル超のアブサンが製造されていた（アブサンの製造・販売は一九一五年に禁止される）。国内には酒を販売もしくは提供する店が四八万軒あった。成人三〇人あたり一軒の割合だ。ゆえに戦場でアルコールを禁止することはむずかしかった。そもそも、軍は禁止を試そうともしなかった。その逆だ。一九一四年、軍は兵隊一人あたり毎日四分の一リットルのワイン（くわえて六二・五ミリリットルの蒸留酒）を配給している。これが一九一六年になると、議会での採決により半リットルへと増えた。そして一九一八年には一リットルになる。この年に戦争が終わらなかったらどうなったことやら。しかし、八五〇万人のフランス兵たちにとって配給量は不十分であり、戦線の背後で入手することで不足分を補った。前線で消費されていたワインの量は一九一七年では一二億リットル、一九一八年では一六億リットルとなった。兵士一人あたり、毎日三、四リットルを消費していたことになる。

ブルゴーニュ大学で教鞭をとる研究者クリストフ・リュカンは自著『ポワリュたちのワイン（*Le pinard des poilus*）』（Éditions universitaires de Dijon, 2015）のなかでズバリと述べている。「攻撃性の維持と上官への服従を可能としたのは、敗北をおそれる政界と軍上層部があえてひき起こした集団アルコール依存症である。それ以外のなにものでもない」。身がすくむ恐怖に立ち向かい、ひどい状況でももちこたえることを可能としたのは「ワインという神さま」だった。塹壕を飛び出して突撃する直前、ポワリュたちはワインをあたえられた。おまけに当時は、ワインは殺菌作用がある健全な飲み物と考えられていた。塹壕では、汚染された水のかわりにワインが飲まれていたのだ。

銃後では、前線のワイン大量消費に応えるための物流が組織された。アルジェリアやエロー［フランス南部］のワイン、ソミュール産の発泡ワインなどであったが、収量の多い品種のブドウから作られたものであるので品質は劣悪だった。しかも冒涜（ぼうとく）のきわみというべきか、たいていの場合は水で薄められていた。さらには、兵士たちの性欲を抑制するためとして臭化物がくわえられていたのでは、とも疑われている。

応召した作家ロラン・ドルジュレス（一八八五—一九七三）は、妻宛ての手紙のなかで、キリストの十字架の道行きに等しい苦しみ…いかにひどいワインを飲まされているかを語っている。「ああ、なんというワイン！　わたしは重篤な胃痛に悩まされている。（…）どんなに車引きだって、これほど混濁して、これほど劣悪で、これほど酸っぱいワインを飲んだことがないだろう[2]」。塹壕を視察に訪れたペタンがワインを味見しているところが映画フィルムに残されている。一瞬だが顔をしかめたペタンは、この場面はカットするように命じた。

軍は、大量のワインを支給するために、買いつけ・輸送を担当する中央共同組合を設立した。補給一般監査局の第三部門（ワインを専門としていた）は、仕入れたワインのアルコール度数が九（水で割る前の度数である）であるように目を光らせた。こぼしたら消せない染みとなる、こうした古きよきワインの仕入れ値は一リットルあたり七〇サンチームだった。共同組合が生産者から直接仕入れるワインは各地の倉庫へと運ばれ、アルコール度数がチェックされた。その後は、容量四〇万リットルのタンクをとりつけた貨車で前線へと向かった。一九一四年八月、南仏ミディのブドウ栽培・ワイン醸造業界は、マルヌ会戦で勝者となったフランス軍兵士たちに二〇〇〇万リットルのワインを贈る。

読者諸君もすでに感づいていたと思うが、ポワリュたちの渇きを癒やすことに熱心な勢力があったのだ［当時、植民地アルジェリアから安いワインが大量に流入し、フランス国内ではワインがだぶついていた］。エロー県選出議員、エドゥアール・バルトは「ワイン議員」とよばれていた。左派の議会管理担当理事で、ブドウ栽培農家やワイン生産者の利益を代弁するワインロビーの頭目だったバルトは、兵士へのワイン配給量増加を訴えるキャンペーンをくりひろげ、タンク貨車によるワイン輸送が遅すぎる、と糾弾した。なお、このバルトは戦後、穀物由来アルコールをベースとした燃料の製法確立を使命とする委員会の会長となる！　どこまでもアルコールに縁がある人物であった。一九三九年に第二次世界大戦がはじまるとバルトは一〇月にさっそく、毎日兵士一人あたりすくなくとも一リットルのワインを消費してもらうことを目的に、ヴァン・ショー・デュ・ソルダ〔兵士のホットワイン〕という団体の発起人となった。バルトは「フランスの誇りであるワインは力の象徴である。飲むと兵士は勇敢になるので、戦意高揚の効果もある」[3]と主張した。バルトはワイン信者が拝むべき聖人である。

だが、アルコールには友愛を育む効果もある。一九一四年一二月三一日付けの母親宛ての手紙でロラン・ドルジュレスは、ドイツ兵とフランス兵がともにクリスマスを祝ったようすを語っている〔クリスマスのために休戦となった。イギリス兵士とドイツ兵士のあいだでサッカーの試合が行なわれた、ともいわれる〕。「敵味方の塹壕のあいだで、五〇〇〇人の男たちが親しく交流した。朝五時にお開きになって塹壕に戻ったとき、皆はぐでんぐでんに酔っていた。酔った兵士がある大尉を殴ったらしい」。敵との友愛も育む効果もある、ということになる。もう一つ確かなのは、ポワリュたちがワインの呼び名として豊かな語彙を育み（ピクラート、ピーヴ、ピナース、ピクミュシュ、フューシャ、ルカン、ルジネ、グロ・ブルー、クラシ…）、どこに行くときも携帯していたことだ。瓶が太陽光を反射してきらめくと、敵に狙われて撃たれる危険は承知のうえで。

第一次大戦中の軍隊における飲酒にかんしては、文芸家たちがさまざまな証言を残している。アンリ・バルビュス(『砲火』で一九一六年にゴンクール賞を獲得)は妻に宛てた手紙のなかで、酔っぱらった兵士仲間が直属の伍長を撃とうとしたのを自分が止めた、と述べている。別の手紙のなかでは、「われわれは、ワイン、クリック(蒸留酒)、コッコーヴァン[鶏の赤ワイン煮]をたっぷりつめこまれている」[4]と打ち明けている。シャスラ[スイスを代表する白ワイン]とシャブリを愛好するブレーズ・サンドラール[スイス出身でフランスに帰化した作家]は、水がないので髭を剃るときに下等な赤ワインを使った、と伝えている。ギヨーム・アポリネールのある詩の一節は以下のとおりだ。「君の場合と同じく、ぼくを元気づけてくれるのは/赤ワインの小瓶だ/これが、われわれとドイツ人との大きな違いだ」[5]。この時代の流行歌も同様であり、故郷を離れた兵士たちが通う酒場のかわいらしい女給のことを歌った『ラ・マドロン』は、マドロンの瞳を「ワインのようにきらめく」と形容する。ある伍長に手を求められた[手を求める、は求婚を意味する]マドロンは、「もうすぐ、あなたの戦友たちがやってくる/あなたにわたしの手を差し上げるわけにはいかないわ/皆のグラスにワインをそそぐのにわたしの手は忙しくなるから」と言ってやんわりと断わる。恋人や家族から切り離され、〝マドロン〟にも軽くいなされた兵士たちは支給されたワインを飲み、「塹壕のなかで転んでけがをしても、ワインをひっくり返すなよ！」と歌った。

向かいの塹壕のなかでは、ワインというよりもシュナップスの小瓶をひっくり返さないかを心配していた。主流は、当時のドイツが年間三億リットル生産していた、ジャガイモを原材料とする蒸留酒カルトッフェルシュナップスであった。フランス兵士が支給されていたワインとどっこいどっこいに下等であった配給シュナップスは、穀物を原料としていたが、その他の植物や香草をくわえて作られることもあった。ネズの実で香りづけしたシュタインハーゲン（ヴェストファーレン地方）のジンはアルコール度数四〇であり、これなら少量でも体が温まることうけあいだ！　火照(ほて)りすぎた体をさますには、バイエルン産の美味しいビールを飲めばいい…いや、フランス産のビールでもいい。というのも、フランスのビール醸造工場の大半は、一九一五年以降にドイツに占領された地方にあったからだ。

では、なぜフランスワインがドイツのシュナップスに勝ったのだろうか？　答えを出すのはむずかしい。ワインが放つアロマが健全な友愛と団結精神を育むのに適しているのに対して、シュナップスはいきなり酔いがまわるからかもしれない。いずれにせよ、一九一八年一一月、前線で発行されていた新聞「レコー・デ・トランシェ」は赤ワインをたたえた。いわく「(赤ワインのおかげで）南仏の太陽がドイツの靄に勝った」。大戦が勝利に終わった結果、ワインはフランスの象徴の一つとなった。自然の恵みであるワインと、工場で大量生産されるシュナップスの違いが強調された。

フランスの国家指導者たちは、このワイン称賛ブームに便乗した。クレマンソー首相は、ソミュール産の濃厚なカベルネワイン、クロ・クリスタルを自分がいかに愛好しているかを吹聴した。一九〇七年にラングドックのブドウ栽培農家が反政府運動を起こし［生産過剰のうえ、アルジェリアやイタリアの安いワインに押されて、南仏のワインが深刻な売れゆき不振におちいったことから大規模な抗議運動が起こった］、これをクレマンソーの政府が取り締まった結果、死傷者が多く出たことを忘れてもらうためだったのかもしれない。リヴザルト（ピレネー＝オリアンタル県）で樽製造を生業とする家に生まれたジョゼフ・ジョフル元帥は、ワインを「将軍」とよんで敬意を表した。戦後、アルザスの黒いブドウ品種に彼の名前がつけられた（マレシャル・ジョフル）。ペタンは？　一九二五年、ヴァン・マリアーニの発明者であるアンジェロ・マリアーニが刊行した挿絵入りの伝記シリーズ『アルバム・マリアーニ』のなかで、ペタンは次のように語っている。「フランス国民は戦争に勝って当然だった。彼らにはワインの王さまであるコカ・マリアーニがあるのだから」。ここでペタンがコカ・マリアーニとよんでいるのは、南米のコカの葉の抽出液を入れたトニックワイン（ヴァン・マリアーニ）である。一九一七年のフランス軍反乱の後、ペタンは兵士たちの反抗心を鎮めるにはたっぷりと飲ませる必要がある、と理解した。ペタン自身もワイン愛好者であった（コート・ダジュールにブドウ畑を所有していたし、一九四二年にはボーヌのワイナリー「クロ・デュ・マレシャル」を贈られる）が、アルコール度数の高い酒には警戒心をいだいていた。なんといっても、一九一七年のフランス軍反乱において、酔っぱらった反乱兵たちがソワソンで窓越しに発砲したことはトラウマ体験であった。［一九一七年のフランス軍反乱は突撃命令に従うことへの拒否であり、反乱兵が武器を持って立ち上がることはまれだった。ペタンはこの反乱をおさめるため、無謀な突撃命令を中止すると同時に、軍規を乱したかどで首謀者五〇〇人ほどに死刑判決をくださせた。ただし、実際に処刑されたのは五〇名弱］

一九四〇年にフランスがドイツに敗北すると、ペタンはフランス国（ヴィシー政権）の主席としてアルコール問題に取り組んだ。アルコールは「人種の退化[6]」をひき起こすので、これを制圧しなければならない。ただし、ワインは対象とならない。なぜなら、ワインはアルコールではないからだ！　アニスで香りをつけたリキュールの一部は禁止となり、ペルノ工場はチョコレート工場となり、リカール社はジュースを製造することになった［ペルノもリカールもアニス香料入りのアルコール度数が高いリキュール］。次に、アルコールをベースとするアペリティフはすべて禁止となった。この間に、ナチ・ドイツは山のような量の酒をフランスで収奪した。そしてペタンはなにをしていたか？ 記念碑的なペタン伝（*Pétain*, Fayard, 1987）のなかで、著者のマルク・フェローはヴィシーにおけるペタンの典型的な食事の一つを描いている。「彼はほとんど酒類を飲まなかった。白ワインに水を混ぜて周囲の人々の顰蹙(ひんしゅく)を買い、デザートのおかわりをした」。これなら納得だ。ペタンが「国家反逆罪」を問われて死刑判決を受けたのもむりもない。

〈原注〉

1 *Le roman de l'alcool*. Pierre Fouquet-Martine de Borde. Seghers. 1986.
2 *Je t'écris de la tranchée : Correspondance de guerre 1914-1917*. Roland Dorgelès. Albin Michel. 2003.
3 *Les drogues et la guerre : de l'Antiquité à nos jours*. Lukasz Kamienski. Nouveau monde éditions. 2017.
4 *Lettres de Henri Barbusse à sa femme*, 1914-1917. BNF Collection e-books. 2015.
5 *Calligrammes*. Guillaume Apollinaire. GF Flammarion. 2013.
6 *Une histoire du vin*. Didier Nourrisson. Perrin. 2017.

第18章
ソヴィエト連邦
一九二三―一九五三年
ウォッカはスターリン外交のバロメーター

一九三九年八月二三日の夕方、豪華なクレムリン宮殿では、独ソ不可侵条約の締結を前に、国の晩餐会で供される二四皿のコース料理が準備されていた。出席者はスターリン、リッベントロップ、モロトフ、ベリヤ（内務相）、フォン・デア・シューレンブルク（駐ソ独大使）、それに全員が飲み助のソヴィエト外交官だった。けっこうな人数であった。

暑い日で、ドイツ外相リッベントロップは空腹をおぼえ、キャヴィアとビーフストロガノフにすぐにでも飛びつきたい気分だったが、しばし待たなければならなかった。食事にありつく前に、ソ連外相モロトフが両国外交団全員の健康を祈ってウォッカで乾杯をすることを提案した。総勢二二名、スターリンはひとり一人に短いあいさつをしたので、かなりの時間がかかった。三〇分後、ストロガノフは冷めてしまったが、それなりにおいしそうだった。ところがモロトフ外相には食事の前にすべきことがまだあった。この男は、ウォッカを最初に一杯やった後にすぐに食べ物を口にするのはご法度で、二杯目は間髪を入れずに飲まなければならないというロシアの伝統を、あくまでも忠実に守ろうとした。そして、もうさんざん飲んでいたところへ、晩餐会に出席できなかったメンバーの健康を願って乾杯しようと賓客に提案した。数えきれないほど大勢の人たちのために。それから一同はヒトラーの健康と、条約の安泰（もちろん条約が頼んだわけではない）、その他諸々のために杯を空けた。皮肉な話だが、ヴェチェスラフ・ミハイロヴィチ・モロトフ（一八九〇―一九八六）は、飲み物でないカクテル、すなわちアルコール（通常はメタノール）を原料とした火炎瓶である「モロトフ・カクテル」にその名をとどめている。眼鏡をかけたちっぽけなインテリ男は、スターリンと出会わなかったら酒とはほどほどのつきあいですんだことだろう。しかし偉人から目をかけられるためには、酒を飲む必要があった。こうして彼は酒びたりになり、それも度を超すことになった。

リッベントロップはのちに、この時飲まされた黒胡椒入りのウォッカが「あまりに強くて、ほとんど息ができないほどだった」[1]と語った。

だが、ヴェーゼル（なかなか良質の白ワインの産地）生まれのリッベントロップは、じつは酒にかんしては豊かな経験を誇っていた。第一次世界大戦後、彼はベルリンにフランスの酒類を秘密裡に供給するルートを作っていたし、妻のアンナ・エリーザベト・ヘンケルは裕福なワイン生産者の跡継ぎ娘だった。さらに、彼はかつてシャンパン会社のポメリーと代理店契約を結んでいた。

すっかり感心したリッベントロップはスターリンのほうへ向きなおり、もつれる舌で、ゲルマン人と比べてロシア人がいかにアルコールに強いかほめそやした。ぬけ目ないごますりだった。たしかに、〝諸民族の父〟はさっきから酒のボトルを何度も空けているのに、微動だにしなかった。リッベントロップの副官だったリヒャルト・シュルツェ曹長はそのとき、不敬罪に相当する犯罪に手を染めた。ことによったら不可侵条約がひっくり返り、歴史の流れが変わったかもしれなかった。ひそかにスターリンのボトルの中身を試飲してみたのだ。それはただの水だった。

そのときすぐ横にいたグスタフ・ヒルガーは、不愉快な時間をじっと耐えていた。この男はモスクワ駐在のドイツ大使づきの経済担当補佐だった。さらに酒を勧められ、こばんだヒルガーにベリヤ内務相はものすごい剣幕で「なぜだ！」といきり立った。これよりも軽微な罪を犯した者たちでさえ銃殺に処してきたベリヤである。だが偉大なるスターリンになだめられた。スターリンはあえてラーザリ・カガーノヴィチにも乾杯した。このユダヤ人はソ連共産党政治局のメンバーで、その数年前ウクライナを大飢饉におとしいれた人物である。ナチ・ドイツの代表団は苦渋の選択をし、ユダヤ人カガーノヴィチへの乾杯に応じた。条約締結のためならなんでもやる覚悟はできていた。彼らには運も味方した。というのは、たまたまだが宴もなかばでスターリンが床につくために退出したからだ。招待客にたった一言「手洗い所は左手です」と言い置いて。

独ソの友情が千年続くことをお互いに約束して、宴会は夜ふけに終わった。だが一九四一年六月二二日には、ヒトラーがバルバロッサ作戦を開始し、ソ連に侵攻することになる。八月二三日、この記念すべき宴会の席でも、ナチ・ドイツはたしかに、ロシアがまったく理性を欠いた予測不能な存在であることを肝に銘じた。また、お互いさまだが、なにをしでかすかわからない連中だ、とも。ドイツが一九四一年にクリミアに侵攻したとき、ソ連側が事前に運び出せなかったワインをすべて黒海に流したのは、けちくさい意趣返しだった。まったくろくでもない話だ。一九三九年八月二三日の晩、ドイツは、アルコールがソヴィエト外交にとって重要な要素になっていること、スターリンはきわめつきの嘘つきであることを看破した。しかし、これに気づいたのはドイツ人がはじめてではなかった。

一九三五年五月、仏ソ相互援助条約（笑）の調印式にのぞむため、当時の外相ピエール・ラヴァルはモスクワにいた。フランス外務省からはアレクシス・レジェ次官（サン＝ジョン・ペルスのペンネームで執筆する作家でもあった）も同席した。パリを発つ前に、向こうのやり方では一人に一本、席の前にウォッカがボトルで置かれるから、食事の前に油を何杯か飲んで、ウォッカで焼けつくのどの粘膜をおおっておくことだ、と勧められていた。アルコールの血中濃度を急激に上昇させないためにはサーモンがよい、とも。だが、油もサーモンも、大河ヴォルガの流量に匹敵するほどの大量のカクテルが喉を通過すれば、まったく歯が立たなかった。そこでレジェはグラスの中身をこっそり絨毯にこぼしていた。それを見とがめたスターリンは席を立つと、このずる賢いフランス人外交官に乾杯を勧めた。厚かましくも、レジェはスターリン閣下のボトルからいただきたいと応じた！　スターリンは不快感をあらわにしながら言われたとおりにし、無礼な客は無言で、その中身が水であることを確認したのである。

じつに奇妙なことだが、ヨシフ・スターリンはこの手のウォッカまみれの不可侵条約を六年間に三か国ととりかわしている！　一九四一年四月一三日、日本の外相、松岡洋右が

［日ソ中立条約締結のため］金色に輝くクレムリンへ出向いた。日本は一九四〇年九月にはすでに、ベルリン、ローマと日独伊三国同盟を締結していたが、スターリンはこのことを知らない風をよそおった。東方から攻撃される脅威がなくなってほんとうに肩の荷を下ろしたスターリンは、気持ちよく大酒を飲んだ。モロトフと二人して、流刑や大量殺人とならんで、彼らのもう一つの気に入りだったゲームを楽しんだ。それは、外国からの賓客を正体なくなるまで酔わせることだった。気の毒な松岡はあまりにも悪酔いしたので、朝の六時にヤロスラブリ駅に停車している列車までかついで運ばれる羽目となった。三人の男は有名なロシア民謡「ざわめく葦の葉」を歌い、モロトフは「ぼくはピオネールだ！　つねに備えあり！」[2]とわめいた「イギリスではじまったボーイスカウト運動をヒントに、ソ連が子どもたちを国策に沿った形で組織したのがピオネールだった。そのスローガンもボーイスカウトの標語「備えよつねに」によく似ている」。ホームに居あわせたブルガリア大使によれば、それでもモロトフがいちばん正気に近かったという。最高指導者が招待客を駅頭まで見送るのはこれがはじめてだった。松岡と彼らは違う言語で話していたが、擬態語や、抱擁や、肩のたたきあい――酔っぱらいの共通言語――を駆使して、お互いを完全にわかりあっていた。別れ際に、スターリンは松岡に「いっしょに、アジアとヨーロッパを作り上げよう」とよびかけた。飲んだくれの空手形だった。

トルコのことでは、スターリンはアンカラ駐在のソ連大使の確言で満足することになる。ウォッカを自白剤として使って。一九四一年六月に調印されたドイツ―トルコ友好条約を受け、［バルバロッサ作戦でドイツがソ連に侵攻した直後］彼はセルゲイ・ヴィノグラードフ大使を真夜中にクレムリンに召喚した。政治局のメンバーも同席した。「大使にウォッカを！」[3]ヴィノグラードフが部屋に入るやいなや、スターリンが吠えた。乾杯の杯が飲み干されると、首領は敵愾心をむき出しにした。「どうだ、大使、トルコはソ連に戦争を仕かけてくるのか？」大使の答はニェット（否）だった。ふたたび杯が満たされ、同じ質問がくりかえされた。「トルコはソ連に戦争を仕かけてくるのか？」またもや答はニェット。ヴィノグラードフは大きなプレッシャーを感じながら、放免された。「アンカラに帰るがいい。だが、言ったことには責任をとるんだな」。不運なセルゲイに、トルコがラキ［アニスで香りをつけたトルコの蒸留酒］責めで同じプレッシャーをあたえないように祈るばかりだった。

プレッシャー［フランス語ではプレシオン］といえば、チャーチルは生ビール［フランス語でやはりプレシオンとよぶ］ではなくシャンパン好きで知られていたものの、プレッシャーに強い政治家であった。しかし、一九四二年八月にソ連、アメリカとイギリスの三者が、二度目の会談でモスクワに集まったときには、チャーチルは防戦一方だった。最初の晩餐会のときには、なんの合意もなされないなかで、気の毒な六八歳のウィンストン・チャーチルに浴びるほどウォッカ（スターリンは〝ロシアのウイスキー〟とよんだ）がつがれた。同席した外務次官のサー・アレグザンダー・カドガンはのちに日記にこう記す。「クレムリンの晩餐会は想像を絶するおそろしいものだ。しかし、ひたすら耐えるしかない」。この試練はカドガンにとってのどと自尊心を二重にえぐられただけに、よけいに辛いものとなった。モロトフのアルコール攻勢にあったカドガンが酒を受けつけない体質であることに気づいて、チャーチルはがっかりした。それ以降、〝ブルドッグ〟のあだ名でよばれたチャーチルがみずからかけひきの前面に出ることになる。モスクワ滞在の最後の晩、チャーチルは夜の会見を申し入れ、それはスターリン私邸で行なわれた。腰巾着のモロトフも同席して、二人はありったけの酒と子豚の肉をたいらげた。饗宴の後、ソ連はイギリス軍の北アフリカ侵攻を認めたのだった。いずれにせよ、チャーチルは自国の目的を果たすためならなんでもやる覚悟だった。三年後のヤルタ会談では、熱烈な反共主義者だったチャーチルが〝全世界のプロレタリアートのために〟乾杯までやってのけるのだ。

　これを書くのはフランス人として忸怩（じくじ）たる思いであるが、第二次世界大戦中のアルコール合戦でフランスはたいした戦果をあげていない。［一九四四年九月にはド・ゴールの臨時政府が成立し、］一九四四年一二月一〇日、ド・ゴール、外相ジョルジュ・ビドーとジュアン元帥は新たに仏ソ同盟条約を締結するためにモスクワにいた。そもそも、この面子に問題があった。三人とも酒豪で知られる人物ではなかったのだ。その意味ではエドガー・フォールを派遣したほうがよかったかもしれなかった。フォールは毎日でもフェルネブランカ［アルコール度数の高いビターリキュール］やウイスキーやワインをいける口だった。ソ連側は決然としてフランス代表団を待ち受けた。今回はスターリンも飲んだふりはせず、完全に酔っぱらった。

晩餐会はプロパガンダ映画の上映やたび重なる乾杯で、たびたび中断された。当時、フランスは国際政治の舞台では三流扱いで、スターリンはド・ゴール将軍にそのことをはっきりと知らしめる行動に出た。ルーズヴェルトとチャーチルに乾杯した後で、目の前のド・ゴールには杯を上げなかった。

スターリンは、アメリカの駐ソ大使ハリマンにド・ゴールの剛直ぶりには驚いたともらしているが、少しのワインさえあればフランス人をまるめこむのは簡単だと考えていた。実際は、そうはいかなかった。偉大なるド・ゴールが、ソ連がポーランドに樹立をくわだてている政府の承認をこばむと、スターリンは会食をともにしている部下たちに、言うことを聞かないと殺すぞといきまいて、ド・ゴールを威圧しようとした。はたしてこれは酔っぱらいのはったりなどではなかった。

まずは将軍アンドレイ・フルリョフをやり玉にあげた。彼の妻はユダヤ人で陰謀の嫌疑をかけられ逮捕されたばかりだった。「身の処し方を考えろ。失敗すればおまえの首をつるぞ。それがわが国のやり方なのだ！」空軍総元帥のアレクサンドル・ノヴィコフには、「正しく任務を遂行しなければ、つるし首だ！」その二年後、彼は失墜し、ベリヤに逮捕され拷問を受け、収容所での強制労働一五年の刑を受けることになる。運輸相ラーザリ・カガーノヴィチはどうか。「勇敢な男だ。列車が所定の時刻に到着しなければ、処刑されることを知っている！」彼は一九九一年まで生きることになる。

事態はさらにおぞましいものになった。スターリンは、もの堅いことで知られるジュアンとド・ゴールの身体にたびたびふれながらなれなれしく友好ぶりを示した。食事の終わりに、彼はド・ゴールの肩に手を置き、こう言った。「人はわたしを怪物だと言いますが、ご覧のとおり、わたしは冗談だって言えるんだ。たぶん、そんなぞっとするような人物ではないでしょう、結局は」[4]。口臭にはぞっとしたと思い返しながら、ド・ゴールは床についたにちがいない。ところが早朝にたたき起こされて、臨時ポーランド政府の承認なしに条約が調印されそうだ、と告げられた。あわてて駆けつけたド・ゴールに彼らが提示したのは、無修正の草案だった…。翻弄されたド・ゴールはフランスを侮辱するものであると声を上げた。最終的に六時三〇分、規定どおりの文言による条約が署名された。フランス代表団がパリに戻る前に、スターリンは最後にもう一度、自分の通訳をからかった。「あんたは知りすぎているから、シベリア送りだ、ハハハ！」そして、ふたたび酒を飲みはじめた。

ヨシフ・ヴィサリオノヴィチ・ジュガシヴィリ、すなわちソソとよばれたヨシフ・スターリン（一八七八―一九五三）は親の血を受け継いだ、と言わねばならない。彼の父はアルコール依存だった。ヨシフはジョージア出身だが、そこは酒盛りの終わりにはテーブルの下で酔いつぶれていなければ白い目で見られるような土地柄だった。父はたらふく飲んでは息子をからかって地面にたたきつけたと、のちにスターリンの母が語っている。倅（せがれ）の酒への強さは父ゆずりである。敵も同志もひっくるめて酔っぱらわせる手腕も…彼にとって同志も敵も同類だったのだ。

この時代についていちばんよく記録に残したのはニキータ・フルシチョフ（一八九四―一九七一）である。スターリンの後継者となった彼は回想録のなかで、スターリンが部下に強制的に酒を飲ませていた、と語っている。主要な決定は彼の私邸での酒がたっぷりふるまわれた夜の食事の際にくだされた。部下は出席を強要され、しらふでテーブルを離れることは許されなかった。

スターリンの脇を固める政治局員――ベリヤ、マレンコフ、ミコヤン、フルシチョフ、カガーノヴィチ、ヴォロシーロフ、モロトフとブルガーニン――は食事の前に首領のお気に入りの西部劇映画を鑑賞させられ、その後夜中の一時頃からようやく食事がはじまるのだった。スターリンお気に入りの余興とは、フルシチョフを標的にしてからかうことだった。あるときは、ウクライナの伝統的な膝折ダンスを踊らせた。またあるときは、焼けるように熱いパイプをフルシチョフの禿げ頭にコツンとあてて掃除するというじめにおよんだ。さらには、彼の椅子の上に完熟トマトを置いた、などなど。首領の目の前で眠りこむと機嫌をそこねることをニキータは知っていて、昼食後に仮眠をとるようにしていた。そのため仕事をする時間はほとんどとれなかった。なにしろ夕食が明け方まで終わらず、寝るのは朝方なのだから。一九四〇年代の末、フルシチョフの腎臓に問題が見つかった。スターリンはそれを無視してさらにがぶ飲みを命じるのだった。

ロシアのウォッカ、クリミアのシャンパン、アルメニアのブランデー、ジョージア産のフヴァンチカラという甘口の赤ワイン、リーダーはさまざまなアルコールを使って彼のチームのメンバーがなにをもくろんでいるのか探ろうとした。そしてメンバー同士の対立をあおった。それを横目で眺めながら、コニャックをちびちびなめ、サディスティックなほほえみを浮かべていた。彼はまた、じつに底意地が悪かった。食事のはじめに、しばしば招待客に、自分の好きなゲームをしようと誘った。それは、各自に外の寒暖計が何度をさしていくるかあてさせるもので、実際の気温との差と同じだけ何杯もウォッカを飲まなければならなかった。ベリヤはときおり、ボスを喜ばせるためにわざとまちがえた。ウォッカが性腺に害があると信じていたのにあえてまちがえるとは、ベリヤ内務相は驚くべきおべっか使いだった。またある日、疲れはてたミコヤン、ベリヤとマレンコフがクレムリンの女給に、ワインのかわりに同じ色のジュースに差し替えるように説得したことがあった。それに気づいた赤軍の中央委員会書記アレクサンドル・シェルバコフは彼らを告発した。シェルバコフは非常に卑屈な男で、四五歳のときウォッカの飲みすぎによる心臓発作で死んだ。ざまあみろだ！

スターリンはもののみごとにフランス刑法典二二五—一六—一条を無視したことになる。この条項は、「その者の意向にかかわらず、過度の飲酒をさせることを強いる行為を働いた者」に懲役六か月および罰金七五〇〇ユーロを課すものである。スターリンは一九五三年三月五日に死去するが、それまでに、すべての協力者とライバルたちをアルコール依存症にした。後継者争いは酔っぱらい集団の壮絶な戦いとなった。みごとトップに躍り出たのは、復讐心に燃えたフルシチョフだった。このくだりをとても滑稽に描き出したのが、ファビアン・ニュリ（文）とティエリー・ロバン（画）によるバンドデシネ（漫画）『スターリンの葬送狂騒曲（*La mort de Staline*）』（Dargaud, 2010-2012）〔大西愛子邦訳、小学館集英社プロダクション」である。この騒動に一枚噛んだのが、スターリンとナジェジダの息子、ひょうきんなヴァシーリー・ヨシフォヴィチ・ジュガシヴィリである。彼はいつも酔っぱらっている、という特技の持ち主だった。仕事でも（空軍のパイロットだった）、家庭でも（自分の子どもたちをコサックサーベルで追いまわしたこともある）。フルシチョフによって刑務所へ送られ、釈放後まもなく、一九六二年に四〇歳の一生を終えた。祖国を心から愛したヴァシーリーは生涯、ロシアの古い格言を大事に守ったものだ。「ウォッカを飲めるのは二つの場合だけ、食べているときと、食べていないとき」

〈原注〉

1 *Stalin : Waiting for Hitler, 1929-1941*. Stephen Kotkin. Penguin Press. 2017.

2 *Staline : la cour du tsar rouge*. Simon Sebag Montefiore. Éditions des Syrtes. 2005.（サイモン・セバーグ・モンテフィオーリ『スターリン――赤い皇帝と廷臣たち』（上・下）、染谷徹訳、白水社、二〇一〇年）

3 *Vodka Politics : Alcohol, Autocracy, and the Secret History of the Russian State*. Mark Lawrence Schrad. Oxford University Press. 2014.

4 *L'Accord secret de Baden-Baden*. Henri-Christian Giraud. Éditions du Rocher. 2018.

第19章

午前三時、JFK警護官が二日酔い

テキサス州フォートワース
一九六三年一一月二二日

テキサス州フォートワースのメイン街にある「セラー」は、美味しいフルーツジュースや炭酸飲料クールエイドを提供する「コーヒーハウス」。酒類販売免許はないが、一九六三年のよき時代、愛想のいい店員たちは夜中でも笑顔で客を迎え入れた。二四時間営業のフルーツジュース〝バー〟？　あやしいと思われる読者がいたとしたら、ご明察だ。実際、オーナーのパット・カークウッドに目配せすれば、トマトジュースにウォッカを混ぜてくれる。オツなカクテル、ブラディ・メアリのできあがりだ。

一九六三年一一月二一日から二二日にかけての夜、ジョン・フィッツジェラルド・ケネディ大統領（通称ＪＦＫ）がこのフォートワースに宿泊した。警護にあたるシークレットサービスの面々は喉の渇きをおぼえた。午前一時頃、ポール・ランディス、クリント・ヒル、グレン・ベネットらが「セラー」に入店。一行七人は隣接する記者クラブで、タバコを吸いながらスコッチと缶ビール数本を飲んでいたが、空腹になったため店を訪れたのだった。

この日の朝にワシントンを出発した大統領専用機エアフォースワンでは、機内で軽食が出された。だがその後、サンアントニオ、ヒューストン、フォートワースを次々と訪れるあいだ、食事をする暇はなかった。大統領とファーストレディがホテルにおちついた午前零時の時点で、男たちはまだ夕食をとっていなかった。

記者クラブでも「セラー」でも、食事らしきものにはありつけなかったが、それでもビールと「フルーツジュース」で空腹はおさまり、魅力的なテキサス女性もいた。だがシークレットサービスの規則では、大統領に同行中は飲酒はいっさい禁じられている。ホテルでは二人の丸腰の消防士がケネディ夫妻の警護にあたっており、警護官たちがそのことを笑い話のタネにしていたとの証言もある。

大いに楽しみ、笑い、大声をあげ、お酒を飲んでいると…おっと、もう朝の三時！　カウンター席の警護官六人はこれ以上長居はできないと判断。翌朝八時には勤務がはじまるからだ。メイン街八一五番地のホテル・テキサスに戻ってベッドにもぐりこんだ。就寝前、クリント・ヒル警護官は翌朝六時に朝食を注文した。七人目の警護官はどうしたのだろう。のちに大統領暗殺事件を検証したウォーレン委員会で、その七人目、ポール・ランディスは「五時までセラーにいた」と証言している。店には多くのジャーナリストをふくむ目撃者がおり、ごまかしはきかなかった。

翌朝、二日酔いで口のなかはねばつき、頭もぼうっとしていた「セラーの七人衆」は、そそくさと身支度を整えた。大統領一行と二八人の警護官は、すぐさま空港で待つエアフォースワンへと向かった。めざすは五〇キロ東のダラスだ。一九六〇年に大統領に就任したＪＦＫのテキサス訪問は、一九六四年の大統領選挙の資金集めが目的だった。午前一一時三三分、ラブフィールド空港に降り立った大統領は、地元関係者と昼食をとるためダラス・マーケットセンターへと向かった。テキサス州は決して友好的な土地ではない。きわめて右寄りの土地柄で、前年に人種隔離政策を廃止した大統領に対する反発もあり、喜んで酒（献金）をふるまってくれるかどうかは疑問だった。もっともテキサス州はアメリカ第五のワイン産地ではあったのだが…

午後一二時二九分、大統領の乗るリムジンはエルム街の教科書倉庫ビルに差しかかった。時速一七キロで進む車両の脇を四台のオートバイが並走。無名の婦人服仕立屋、エイブラハム・ザプルーダーが、ベル&ハウエル社製414型8ミリビデオカメラの電源を入れた。カメラがとらえた光景は以下のとおりだ。一二時三〇分、最初の弾丸が大統領の首を貫通したが、致命傷ではなかった。五秒後、別の弾丸が脳と頭蓋骨を吹き飛ばした。血、骨片、脳の一部などが数メートルも飛びちった。あわてたジャッキー・ケネディは、リンカーン・コンチネンタルの後部ボンネットに身をのりだした。クリント・ヒルは左後方のステップから車によじ登り、夫人に手を差し出した。ハンドルをにぎっていたビル・グリアーはふり向いてアクセルから足を離し、車を減速させた。同乗のジョン・コナリー知事も胸に重傷を負い、妻がその体をかばった。惨劇をひき起こしたのはリー・ハーヴェイ・オズワルドがあやつる六・五㎜マンリッヒャー・カルカノ型ライフルで、一人ないし複数の狙撃者が犯行にくわわっていたとされる。

ザプルーダーが撮影した映像を見て驚くのは、悲劇の二五秒間に、クリント・ヒル以外の警護官の姿が一人も見えないことだ。二度の狙撃のあいだに大統領の命は救えたかもしれないのに、シークレットサービスの警護官たちは行動を起こさなかった。

『JFK——沈黙を破る（*J.F.K.: Breaking the Silence*）』（Taylor Pub, 1993）という本のなかで、シークレットサービス職員のジョン・ノリスがこう証言している。「（警護官の）ほとんどは、目の前で大統領が撃たれるのをなすすべもなく見守っていた」。ポール・ランディスとグレン・ベネットは、大統領車のすぐうしろのリムジンに乗っていたが、駆けつけるようすはみられない。一方で後方にいたリンドン・ジョンソン副大統領の車では、ルーファス・ヤングブラッド警護官が上司から訓練を受けたとおりに行動した。副大統領を車のフロアに押しつけ、かぶさるように乗りかかって守った。同乗のラルフ・ヤーボロー上院議員はのちに、「大統領の警護官のほうは反応が非常に遅いと感じた」と述べている。ヤングブラッド警護官は前夜、同僚とともに「セラー」に行ってはいない。「セラー」に行き、アルコールが残っていたことが、当日の行動を制限したのではないかとの質問に、ランディスは否定して「アドレナリンが出れば覚醒する」と答えている。アドレナリンとは、うまい言いわけを考えたものだ。

最高裁長官アール・ウォーレンはスカンジナヴィア系移民の子だが、北欧の蒸留酒アクアビットにおぼれるような人ではない。一九四三年から一九五三年にかけてのカリフォルニア州知事時代は、アルコール依存症の撲滅にも取り組んだ。したがって一九六三年一二月二日にラジオ番組「ドゥルー・ピアソン・コメンツ」を聴いていたときも、冗談ではすますことはできなかった。番組の司会者は友人のジャーナリスト、ドゥルー・ピアソン。とびきりの情報通であるピアソンは、ＪＦＫ暗殺事件の調査を担当するウォーレン委員会の発足から三日後に、当時フォートワースで夜の乱痴気騒ぎがあったことを暴露。情報源は「セラー」に居あわせたフォートワース・スター・テレグラム紙の記者だったが、自身で情報を公開するのをおそれたのだった。シークレットサービス長官ジェームズ・ローリーは事実を確認（！）し、部下の一人を調査のためテキサスに派遣したと述べた。だが酒宴の参加者にはなんのおとがめもなかった。そしてローリーはクリストフ・カスタネール［二〇一九年、警察内の不祥事の責任を問われたフランス内相］のように、身内をかばったとして非難される…

一九六四年六月一八日、ローリー長官はウォーレン委員会の聴聞会で追及を受け、苦しい弁明をした。少しでも処分を行なえば「大統領暗殺の責任は彼ら（警護官）にある」と世間に思われてしまう。「それは不当だ。彼らにも、その家族や子どもたちにも、歴史上の汚名を負わせるべきではない」と。

一一月二二日の酒宴のことはラジオで知ったというローリー長官の言葉を、だれも信じようとしなかった。長官は事実を確認したものの、その夜、酩酊した警護官は一人もいなかった（！）と述べた。内部調査によれば、七人の警護官のうち三人がスコッチを一杯、残りはビールを二、三杯飲んだだけだったという。長官は職務規定をみずから読み上げるよう求められた。「警護官は勤務中はもちろん、公式行事に召集される可能性がある場合はつねに、アルコールの摂取を厳につつしまなければならない」。ホワイトハウス直属の警護官の場合はさらに厳しい。「ホワイトハウスを担当する警護班のメンバー、およびこれに協力する職員、また移動時に同様の任務につく職員はすべて、ワインやビールをふくめ、いかなる形のアルコール摂取も厳禁する。上記にわずかでも違反した場合、またアルコールの乱用があった場合は、即刻解雇の対象となる」。長官はゴクリと唾を飲みこんだが、スコッチの味はしなかったことだろう。彼は前言を撤回し、職員が職務規定に違反していたことを認めた。

ことここにいたって、知事時代にカリフォルニアのビート世代と一〇年もつきあったアール・ウォーレン委員長が怒りを爆発させた。「ビートニクのバーで朝の三時や五時まで酒を飲んだりせず、前の晩に早く寝ていたら、もっと機敏に動けていたと、あなたは思わないのですか?」たたみかけるようにウォーレンは指摘した。パレードの沿道にいた何人かの市民は、教科書倉庫ビルの六階の窓から銃口が向けられているのを目撃していた。だが警護官のだれもこれに気づかず、周囲に注意をうながすこともしなかった。「車列を警護していたシークレットサービスは気づいて当然だし、アルコールの影響や睡眠不足がなければ気づけていたはずではないか。もっと油断なく、機敏に対応できたのではないか」。ローリー長官はこの指摘を認めたが、それでも悲劇を防ぐことはできなかっただろうと述べた。

長時間の審理を終え、ジェームズ・ローリーは退席した。アイルランド移民の息子だから、うさ晴らしにウイスキーでも引っかけにいったことだろう。数週間後、ウォーレン委員会の職員サム・スターンが、警護官に対する批判を聴聞会の報告書から削除したことを発見し、書きなおしを命じた。「夜の酒盛りに目をつぶったら、いったいどういうことになると思っているのか[1]」。たしかに「セラー」にかんする巷の評判を考えれば、そんなことは許されない。

オーナーのパット・カークウッドは三六歳の元レーサーで、友人の一人にジャック・ルビーがいた。ルビーはダラスのストリップクラブ「カルーセル・クラブ」のオーナーだった。一一月二二日、セラーではルビーの店の女性たち数名がウエイトレスをつとめていた。二四日、ルビーは大統領暗殺犯リー・ハーヴェイ・オズワルドを殺害し、死刑判決を受けることになる。カークウッドの友人のうちには、フロリダを牛耳るボス、サント・トラフィカンテの子分ルイス・マクウィリーもいた。マクウィリーはのちに、これも大酒飲み（この場合はラム酒）のフィデル・カストロ暗殺計画に関与することになる。偶然か否か、七人のシークレットサービスが立ち寄ったクラブは、たんなるクラブではなかったわけだ。入り口の看板には、「〝悪（Evil）〟を逆に読むと〝生きる（Live）〟になる」と書かれていた。何年かのちに「セラー」についてのドキュメンタリーが制作された。そのタイトルは「奇妙な御仁でなければ、ここには来ない」だった。

もうひとつ奇妙なのは、ジョン・フィッツジェラルド・ケネディの大統領就任以来、シークレットサービスの飲酒行動が変わったということだ。「大統領閣下」は禁酒法で財をなしたジョー・ケネディの息子だ。ダラスの暗殺事件には諸説があるが、ジョーがマフィアのサム・ジアンカーナやマイヤー・ランスキーにつくった借りを、ジョンが支払わされたという説もある。

上記の説の真偽のほどはわからないが、ＪＦＫは部下のよいお手本とはいえなかった。女にだらしなく、パーティー好き。ダイキリとウイスキーをこよなく愛し、酒を片手に日々の激務、夜遊び、公務の移動を次々とこなしていた。人手が足りず、警護官は食事をとる時間もなく、ピーナッツでしのいでいた。しだいにボスのまねをするようになっても、罰せられることはなかった。

アフリカ系アメリカ人初のシークレットサービス職員、エイブラハム・ボルデンは一九六一年にＪＦＫによって採用された。その後は一貫してシークレットサービスの暗部を暴露していくが、ダラス事件の犯人は警護官が出入りするバーで警備にかんする情報を集めたと考えている。警護官たちの女好き、酒好きは有名だった。ボルデンによれば、ハイアニス・ポートにあるケネディの別邸でＪＦＫを「警護」する際も、同僚たちは酔っぱらっていたことが多かった。そして公用車で若い女性たちを送迎していた。ボルデンはいう。「最大の問題は彼らがつねに酒を飲んでいることだ。ある場所に着いて最初にすることは、まず酒を流しこむこと。酒を飲んでから仕事に行くのだ[2]」。暗殺のあった一一月二二日、「彼らの反射神経は第一に睡眠不足、第二に一定量のアルコールを摂取した者がいたという事実によって、あきらかに影響を受けていた」

シークレットサービスの失態を数え上げたら、一冊の本が書けるほどだ。二〇一四年三月には、大統領の訪問中にアムステルダムのホテルで泥酔していたことが発覚し、三人の警護官が帰国させられた。同じ年の九月一九日夜には、男がホワイトハウスのフェンスを飛び越え、正面玄関から入って二つの大ホールを通過した後、ようやくとり押さえられる事件が起きた。もっとも嘆かわしいのは、シークレットサービスが一八六五年四月一四日、エイブラハム・リンカン大統領によって創設されていることだ。リンカンが暗殺されたまさにその夜も、警護官は酒場に飲みに出かけていた。

〈原注〉

1　*Anatomie d'un assassinat.* Philip Shenon. 2013. Presses de la Cité.
2　*Vanity Fair US*（二〇一四）掲載のインタビュー。

第20章

核危機渦中で泥酔するニクソン

ワシントンDC（アメリカ）
一九七三年一〇月二四日—二五日夜

トリッキー・ディック（ずるいディック）とよばれたリチャード・ニクソンは、アルコール・アレルギーと過度のアルコール好きの両面をもっていた。没後二六年の一九九四年に明らかになったところによると、世界最大の権力者だったこの男はたった二杯で酔っぱらい、しかもそこでストップすることができない男だった。こんな状態では、世界の運命に重大な影響をあたえかねないし、実際にそうなりかけたことも何度かあった。最終的には、慢性的な深酒が破滅的な核戦争につながることはなかったのだが…

一九七三年一〇月六日、エジプトとシリアがシナイ半島とゴラン高原でイスラエルに侵攻。これがヨム・キップール戦争（第四次中東戦争）である。ソ連の武器供与を受けた両国は一挙に軍を進め、一四日にはニクソン政権が空輸により二万二〇〇〇トンの武器補給をイスラエルに行なう事態となった。当時は冷戦のただなかであり、緊張は最高潮に達した。幸いだったのは、国連が二二日に即時停戦を求める安保理決議三三八号の採択に成功したことだ。だが、すぐにソ連がイスラエルの協定違反を非難する。

一〇月二三日から二四日にかけての夜、ソ連のレオニード・ブレジネフ共産党書記長がニクソンに書簡を送り、イスラエルに停戦を遵守させるよう要求し、ソ連地上軍の派遣までほのめかしたのだ。「遅滞なく行動していただきたい。はっきり申し上げるが、あなた方がこの問題でわれわれと足なみをそろえることができないなら、われわれは一方的な適切な措置をとるかどうかを、緊急に検討する必要性にせまられることになる。われわれはイスラエルの恣意的行動を容認することはできない」。「一方的な適切な措置」をとるとは、ズバリ第三次世界大戦を意味する！　老獪なブレジネフは切り札をちらつかせ、内政で行きづまっているニクソンの窮状につけこもうとする。民主党事務所への侵入をくわだてたウォーターゲート事件で追及を受けるニクソンは、まさに苦境に追いこまれていた。しかしこの人物が思考不能におちいっていることを、ブレジネフはどこまで知っていただろうか。

書簡を受けとった二四日午後九時三五分、ヘンリー・キッシンジャー国務長官は大統領に緊急事態を伝えようとしたが、大統領は「会える状態ではない」と告げられる。そこでキッシンジャーがみずからホワイトハウスの危機管理室でブリーフィングを行なった。爆撃機には核爆弾を搭載、核ミサイルサイロには発射体制をとらせ、攻撃型潜水艦もロシア沖に配備させた。二五日朝、米軍はデフコン（防衛準備体制）Ⅲに入った。デフコンⅢでは空軍は五分で出動でき、B52六〇機がグアム基地から召喚され、第八二空挺師団が戦闘体制に入る。おりしも、核搭載が疑われるソ連船がアレキサンドリアに向かっていることを情報機関が察知した。このときニクソンは就寝中、正確にいうと泥酔して眠りこけていた。

「大統領の許可なしに核警戒態勢に入らなければならなかった」と、海軍作戦部長のエルモ・ズムワルト提督は一七年後に回想している。「大統領が目を覚まさなかったからだ。あきらかに深酒が原因だった。どうしても『起こせない』とのことだった」[1]

午前八時、ようやく目覚めたニクソン大統領は、自国が核危機にさらされていることを知った。議会の主だったメンバーとの会合が開かれる。キッシンジャーが遅れて到着。大統領は「ヘンリーを見つけるのに苦労したよ。家政婦とベッドにいたんだ」とからかう。「ヘンリー」が一同に現状を説明しはじめると、ニクソンがさえぎった。そしてソ連の共産主義の歴史について、三〇分にわたって演説した。そして「わたしはソ連がお人好しだなどと、一度も言っていない」と結んだ。最終的にブレジネフはおどしを実行せず、国連は新たな停戦協定を提案。警戒態勢は解かれた。

ブレジネフもアルコールと睡眠薬に依存していたから、事態はいっそう深刻だった。一九七三年一〇月にブレジネフが危機をまねくのを防いだのは、のちに後継者となるユーリ・アンドロポフであった可能性が高い。ニューヨーク・タイムズ紙によると、アメリカのデフコンⅢ発動でブレジネフの酔いは一挙に醒めたようだ。

ニクソン大統領がこの核危機について『回顧録』で語っている一節を見ると、アルコールには精神安定作用があったのかと、かんちがいしそうになる。「われわれは行動を起こす必要があった。核警戒態勢でおどしをかけるのもその一環だった」。当時、側近たちが彼を起こさなかったのは、軽率な判断をしかねないとわかっていたからなのだが……

ウォーターゲート事件で窮地に立たされ、大統領は危なっかしい状態だった。ここ数週間、職務を肩がわりしていたキッシンジャーも、上司を「酔っぱらったお方」などとよび、アルコールがらみで危ない事例が頻発したことから、ニクソンがなにかを命令したら時間稼ぎをしてはぐらかせるようにと、政権幹部に指示していた。キッシンジャーは側近にも、「大統領の言うことを聞いていたら、毎週のように核戦争が起こる」とか、大事な書類にサインをもらうなら早朝がいい、などとアドバイスしていた。

一九七三年八月、ニューオーリンズで演説したニクソンには「疲労」の色が見えた。ニューヨーク・タイムズ紙によれば、大統領は言葉につまったり、声のテンポや大きさが急に変わったりした。大統領を「トリップしたエド・サリヴァン（フランスでいえばミシェル・ドリュケールのような人気司会者）」と形容する者もいた。

一九七四年八月九日の辞任にいたるまで、事態は悪化の一途をたどった。タイムズ・オヴ・イスラエル紙によれば、政権末期になると「完全に酔っぱらった状態でホワイトハウスを歩きまわり、絵に向かって話しかけていた」という。キッシンジャーは自殺願望が出た場合をおそれ、医師に精神安定剤の処方をやめさせた。キッシンジャーの補佐官だったローレンス・イーグルバーガーは、大統領がキッシンジャーをよんで辞任の決意を伝える場面に立ち会っていたが、そのときのことをのちに、ウォーターゲート事件をあばいたジャーナリストのボブ・ウッドワードとカール・バーンスタインにこう語っている。「大統領はしどろもどろだった。酔っぱらって、体の自由がきかなくなっていた[2]」

それはいまにはじまったことではなかった。一九七二年、大統領は酩酊状態でヘンリー・キッシンジャーと北ベトナム情勢（ベトナム戦争は一九六五年にはじまっていた）について話しあっている。「彼らに核爆弾をおみまいするべきだと思う」「うーん、それはやりすぎではありませんか、大統領」「気がひけるのか？　ヘンリー、もっと大きなことを考えろよ！」[3]ホーチミンの国のことわざにあるように、「酒が入ると口が軽くなる」のだ。

一九六九年八月、サレーム・イサウィとライラ・カリドがロサンゼルス―テルアヴィヴ間のTWA八四〇便をハイジャックした。二人は機をダマスカスに着陸させた。酔っぱらって電話越しに叫んだニクソンの指示は「空港を爆撃せよ！」だった。困ったキッシンジャーとメルヴィン・レアード国防長官は、とりあえず軍艦二隻を地中海に待機させることでお茶を濁した。「爆撃したのか?!」とボスが電話でどなると、二人は天候不良を口実に釈明。最終的にはニクソンが正気に返って乗客一一六人は助かり、飛行場の運用も継続できた。

なにより情けないのは、世界最高権力者であるアル中男の飲みっぷりが、男らしくなかったことだ。一九一三年に厳格なクエーカー教徒の雑貨商の息子として生まれた彼は、体罰があたりまえの環境で育った。嘘をつくこと、酒を飲むこと、悪口を言うこと、人をだますことは許されなかった。

はじめてアルコールを口にしたのは大学二年のとき、サンフランシスコの酒場でのことだった。記録によれば、飲んだのはヘンドリックス・ジン、レモンジュース、シュガーシロップ、炭酸水で作るカクテル「トム・コリンズ」とされる。だが酒のほんとうの力を知ったのは、海軍に入隊した一九四三年のことだ。ニクソンの回顧録では、中尉時代に部下にオーストラリア製ビールをふるまったことが自慢気に記されている。

実際には、「リッチー」はひどいアルコール・アレルギーだった。一、二杯飲めば常軌を逸した言動に走り、翌朝にはなにも覚えていないのだった。

一九五九年七月、アイゼンハワー政権の副大統領に就任したニクソンは、大統領の弟ミルトン・アイゼンハワーとともにモスクワに派遣される。緊張のテレビ会見後、ニクソンは公式晩餐会の前にマティーニを六杯あおった。晩餐会では大儀そうなようすで態度も無礼だった。ミルトンはすぐにこのことを兄に報告した。それでもニクソンは酔った勢いで持論を展開。カール・マルクスだって？——「浮浪者のように生きたアル中じゃないか[4]」

一九六四年、バリー・ゴールドウォーターが大統領候補に指名された共和党大会で、酔っぱらった姿をさらしたことも有名だ。その四年後に自身が立候補した際、弁護士のジョン・ダニエル・アーリックマンに補佐官就任を打診した。これに対するアーリックマンの回答はこうだった。「あなたはアルコールに弱すぎる。これが問題になるようなら、仕事や家族を犠牲にしてまで引き受けるつもりはない」[5]。ニクソンは酒を断つことを約束し、アーリックマンは要請を受け入れる。そしてウォーターゲート事件に連座して一八か月服役し、終身弁護士資格を剥奪されることになる。アーリックマンはのちに恨めしげにふりかえっている。「疲れていれば一杯で大の字になってしまう。そうでないときも、二杯半で十分だ。それで、わたしがこれまで出会っただれよりもひ弱になってしまう」[6]。大統領就任後、ニクソンはジャーナリストのセオドア・ホワイトに対し、酒はもうやめる、夜中に電話がかかってきても明晰な判断ができないから、と語っている。自分のことをよくわかっていたのだ。だが意志薄弱だった。ひどいときには昼すぎまで執務室に行けない。ろれつがまわらないので、ある夕食会では秘書に自分の考えをゴールドウォーターに「通訳」してもらうほどだった。

ニクソンにとって最高の栄誉は、その名を冠したカクテルが存在することだろう。ウイスキー三〇ミリリットル、プラムリキュール三〇ミリリットル、ピーチアルコール五ミリリットルをシェイクし、カクテルグラスに注いでピーチとチェリーを添えればできあがり。一九六九年の訪英の際、ロンドンのアメリカン・バーが大統領のために考案した飲み物で、〝ディック〟はこれを滞在先のホテル「クラリッジ」に届けさせた。これが彼の最大の遺産であることはまちがいない。

〈原注〉

1 *The Arrogance of Power : The Secret World of Richard Nixon.* Anthony Summers. Viking Penguin. 2000.

2 *Les Derniers jours de Nixon.* Bob Woodward et Carl Bernstein. Robert Laffont. 1976.

3 *Nixon's Darkest Secrets : The Inside Story of America's Most Troubled President.* Don Fulsom. Thomas Dunne Books. 2012.

4 *Nixon off the Record.* Monica Crowley. Random House. 1998.

5 *Drinking In America.* Susan Cheever. Twelve. 2015.

6 *The Nixon presidency.* Kenneth W. Thompson. University Press of America. 1987.

第21章

グロズヌイ攻撃は、ウォッカで大晦日を祝う宴席で決定された

モズドク（ロシア）
一九九四年一二月三一日

一九九四年一二月三一日、ロシア連邦国防相パーヴェル・グラチョフは、翌日に四七歳の誕生日を迎えようとしていた。残念なことに、このときの彼はチェチェンとの国境に近いモズドクでくすぶっていた。ロシアは同月一一日より、手を焼かせるチェチェン共和国に侵攻し、首都グロズヌイの近くに陣地をかまえていた。幸いなことに、グラチョフは権

力中枢に近い二人の友人、オレグ・サスコヴェッツとミハイル・バルスコフの支援を頼りにすることができた。

グラチョフと二人の友人は、モスクワのエリツィン大統領がテレビをとおして年越しのメッセージを述べるのを観た。エリツィンは四か月のあいだに二回も心臓発作を起こし、やっとクレムリンでの政務に復帰したところだった。ゆえに、前年のように新年に向けてシャンパングラスをかかげることはさしひかえた。大統領の身辺にあるのは事務用品やファックスや電話だけ、という謹厳な雰囲気だった。

クレムリンから一七〇〇キロ離れたところにいるグラチョフ、サスコヴェッツ、バルスコフは、エリツィンの分も合わせて四人分を飲むことにした。ジェイムズ・エルロイが『*Perfidia*』（二〇一四）［邦題『背信の都』、佐々田雅子訳、文藝春秋］で述べているように、「戦争は渇きをおぼえさせる」のだ。三人の陽気な飲み仲間はアルコールがまわるにつれて、予想外にしぶとく抵抗しているチェチェン人たちをののしった。「死ぬまで戦いぬく」と宣言して意気軒昂（いきけんこう）なチェチェン大統領ジョハル・ドゥダエフものの しりの対象となった。数日前、グラチョフはテレビで、一個の空挺連隊だけで十分だ、一二〇分以内にグロズヌイを制圧してみせる、と豪語していた。だがいまのところロシア軍は、グロズヌイを空爆するだけ、という慎重な姿勢に終始していた。人口三五万人の都市を一気に攻撃するのは狂気のさただからだ。

しかし、この誕生日パーティーは、後日に「酔っぱらいの乱痴気騒ぎ」[1]とよばれるものへと変容した。すると突然、パーヴェル・グラチョフの頭に名案が浮かんだ。ドゥダエフがいる大統領府を制圧、という一番槍の功をたてる兵士に三つの星章をあたえる、というアイディアだ。最高の栄誉賞号である「ロシア連邦英雄」勲章もやろう、という話になった。攻撃命令が伝達され、一九九五年一月一日の朝五時に、一斉攻撃にさきがけて集中爆撃が行なわれた。ロシア兵の多くは、敵が降参するように仕向けるためのブラフだろう、と思っていた。六時四〇分、まずは空港と駅を制圧せよ、との命令を受けた第一陣、六〇〇〇人の兵士が攻撃に出た。そのうちにふくまれていたマイコープ旅団の一〇〇〇人は六〇時間内に壊滅する。出された命令はあいまいでちぐはぐだった。兵士たちはまず、武器を持たずに出撃せよ、と命じられた。次に、武装した敵にのみ発砲するように、と言われた。

一月三日、グラチョフは酔いが醒め、とんでもないまちがいを犯したことに気づいたものと思われる。だが、これを告白することは不可能だった。そこで、グロズヌイは全面的にロシア軍のコントロール下に置かれた、と発表した。実際のところ、グロズヌイ制圧には二か月かかり、その対価はロシア兵二〇〇〇人と民間人三万五〇〇〇人の死だった。さらには、その三〇か月後、この戦争はロシア軍のみじめな撤退で終わりとなる［第一次チェチェン紛争］。その後に議会で証言を求められたグラチョフは、部下たちに責任をかぶせ、彼らの「司令官としての自覚の欠如」を指弾し、「彼らは簡単に勝つことができると思いこんでいて、弛緩（しかん）しきっていた」と述べた。グラチョフがここで述べているのは一二月三一日の彼自身のことである、とみなしてまちがいないだろう。民間テレビ局NTV［当時は自由な報道姿勢をつらぬき、政権批判も遠慮なく行なっていた］は、グロズヌイ攻撃は〝血まみれの難渋〟だった、「大晦日に浮かれて攻撃に出るのは名案だと思いこんだ」ロシアの将官たちがまたしてもやらかした〝失策〟である、「元旦であろうとも酒を飲まないイスラム教徒が相手」であることを思い出したときはもう遅すぎた、と手厳しく論評した。

ウォッカは、チェチェン攻略を脱線させてしまっただけでない。その後も主役級の役を演じた。ロシア軍は、何千リットルものウォッカを部隊の兵士に無償で提供したが、これだけでは足りなかった。兵士たちは武器や弾薬や装備を酒と交換するようになった。あるチェチェンの司令官は、装甲車両一台をウォッカ二ケースとの物々交換で手に入れた、と述べることになる。一週間は攻撃を仕かけないでくれ、という条件つきだったそうだ。銃弾が飛びかってはウォッカをおちついて楽しめないから…。チェチェン戦闘員の遺体を家族のもとに届け、その代償として酒を要求する、ということもめずらしくなかった。アルコールをまったく、もしくはほとんど口にしない敵と戦うロシア兵は、恐怖を忘れるために恒常的に酒の力を借りていた。

イズヴェスチア紙は一九九五年一月一二日、モズドクで一二月三一日に何があったのかを暴露した。オレグ・サスコヴェッツは歯切れ悪く否定したが、リベラル派議員のセルゲイ・ユーシェンコフはこの報道は正しいと断じた。モスクワの軍事筋は報道機関の取材に対して、当初、軍事作戦はいっさい立案されていなかった、と認めた。

疑問が一つ残る。エリツィン大統領は攻撃を承認したのだろうか、それとも国防相一人が専断したのだろうか？　この疑問に対する、ロシアの独立系ジャーナリスト、アラ・シェヴェルキナの答えは明快だ。「ボリス・エリツィンの命令なしには、グラチョフはなにもできなかった」。この答えは、筆者にとってまことに都合がよい。なぜなら、エリツィンにふれることなくこの本を執筆することは、オリーブぬきのウォッカ・マティーニを飲むようなものだからだ。そんなことは異端にほかならない。

ボリスが一九九一年に最高権力の座にのぼりつめると、ウォッカは王座に返り咲いた。一九八五年から一九八七年にかけてミハイル・ゴルバチョフが出した部分的な禁止令は過去のものとなった。ロシアは一九九四年、成人一人あたり年間一四・五リットルのピュアアルコール消費量を記録し、世界一の酔っぱらい天国の座を奪還した。男性の平均寿命は一九八七年には六五歳だったのが、一九九四年には五八歳となった！　エリツィン政権で外務大臣をつとめたアンドレイ・コズィレフは、ロシア国民のアルコール消費をまるで「哲学的コンセプト」であるかのように語った。ル・モンド紙は一九九六年、「少々のウォッカぬきでは、どのような問題もかたづかないし、どのような外交協定の締結も不可能だ」というコズィレフの言葉を伝えている。

当然ながら、この「哲学的コンセプト」の旗手はボリス・ニコライエヴィチ・エリツィンである。一九九一年から一九九九年までのエリツィン時代は、国辱ものの酩酊エピソードでいろどられた。歌い、踊り出すボリス。階段をふみはずし、よろつき、将軍たちに支えられるボリス。女性の体に触るボリス。文書を読み上げている最中に、どこを読んでいるのかわからなくなるボリス。ジョッキ一杯のビールを一気飲みして群衆に喝采されるボリス等々。YouTubeを探せば、こうした場面を集めたすばらしいコンピレーションが見つかるので、ぜひともお奨めしたい。一つ選べと言われても非常にむずかしいのだが、筆者のおすすめは「Boris Ylstin's finest moments」である。

一九九二年一月、エリツィンはＡＢＣニュースに出演し、アメリカの女性ジャーナリスト、バーバラ・ウォルターズにインタビューされ、「むろん、わたしは禁欲的ではない。だが、わたしがアルコール依存症だとの噂は断固として否定する」と述べた。だがボリスよ、これはたんなる噂ではなく、映像に残っている事実なのだ。このインタビューの四か月後、ウズベキスタン訪問中にべろんべろんに酔っている姿が撮影された。一九九四年八月、モスクワの軍事パレードのさいにも、きこしめしたようすであった。ロシア国内ではともかく、外国では…

同じ年の九月三〇日、エリツィンはアイルランド共和国を公式訪問したが、飛行機がシャノン空港に着陸しても大統領はタラップを降りることがかなわなかった。オレグ・サスコヴェツが代役として歓待の礼を受け、大統領は「疲労困憊」しているので、と説明した。エリツィンは時差に非常に敏感で、精神安定剤や睡眠薬を飲まねばならなかった。この点は認めなければならない。

その数日前、ベルリンにいたエリツィンはなにやら陽気な気分だったらしく、楽団の指揮者の手から指揮棒を奪いとり、ふらつきながらも何歩かダンスのステップをふみ、あっけにとられている高官たちの前で、有名なロシア民謡『カリンカ』を口ずさんだ。エリツィン本人が、二〇〇〇年にフラマリオン社から出した『回想録』のなかで、あのときは酔っていた、と認めている。この日、彼に酒を飲ませたのはパーヴェル・グラチョフだったようだ。あるコメンテーターは、「エリツィンとウォッカをショットグラスで一杯飲むごとに、グラチョフの肩章を飾る星の数が一つ増えた[2]」と述べている。ところが、『回想録』

のなかには「わたしは酔漢が嫌いだ」との驚くべき一節がある。と同時に、エリツィンは「アルコールはわたしが知っている唯一の、即効性抜群の抗ストレス物質である」と告白している。そして、大統領時代には鬱に悩まされた時期があった、とも認めている。

一九九五年一〇月にエリツィンとビル・クリントンが二人で大笑いした場面を読者諸君は覚えておられるかな？　このワシントン滞在中、ボリスはある夜、ホワイトハウスのすぐ近くで酩酊しているところを発見された、という噂話が伝わっている。下着姿のボリスが、ピッツァを買いに行くつもりでタクシーを止めようとした、とのことだ…。こうしたエピソードに欠かなかったエリツィンだが、酔っぱらいにしては長寿をまっとうした。冠動脈不全と糖尿病をわずらったすえに、二〇〇七年四月二三日に亡くなったときの年齢は七六だったのだから。

本章から教訓を引き出すとしたら、因果応報であろうか。一九九四年一二月三一日の酒宴の主人公三人は全員、理由は異なるが、歴史の蒸留器の底に転げ落ちた。

一九九六年六月、オレグ・サスコヴェッツとミハイル・バルスコフは、二期目を狙う選挙運動中のエリツィン大統領の側近から排除された。二人は、〝ゼロックス事件〟のつけを払わされた、といわれている。エリツィンのとりまきのなかで影響力を失いつつあることにフラストレーションをおぼえた二人はロシア大統領府から五〇万ドルを盗み出し、ゼロックスブランドのコピー機のなかに隠した、との話が伝わっているのだ…

パーヴェル・グラチョフも数日後に、エリツィンによって大臣のポストから解任されて失脚する。公式には、自動車不正取得事件へのかかわりを問われたから、ということになっている。報道機関は彼に「メルセデス大尽」のあだ名を進呈した。この事件をスクープしたジャーナリスト、ドミトリ・ホーラダフは一九九四年一〇月に暗殺されている。

だが、グラチョフ失脚の主因はなんといっても、大晦日の致命的な酒宴と、その結果としての大失策である。彼が実行した報復空爆は、民間人の虐殺をやめる、というエリツィンの公約をふみにじるものだった。酔っぱらいは嫌いだ、というエリツィンの言葉は結局のところ嘘ではなかったのだ。

〈原注〉

1　Chechnya. Calamity in the Caucasus. Carlotta Gall, Thomas de Waal. New York University Press. 1998.

2　*Yeltsin : A Life.* Timothy J. Colton. New York : Basic Books. 2008.

クララ・デュポン＝モノ、ネジュマ・ヴァン・エグモンに感謝を捧げる。彼女たちの助力がなければ、この本はいまでもグラスの底でおぼれていたことだろう。

◆著者略歴◆
ブノワ・フランクバルム（Benoît Franquebalme）
ジャーナリスト。1997年に「ラ・プロヴァンス」紙でデビュー。2000年、パリ実践ジャーナリズム学院で学位を取得。2004年からはさまざまな雑誌を活躍の舞台としている。本書は2作目の著書。

◆訳者略歴◆
神田順子（かんだ・じゅんこ）…5-13、15、17、21章担当
フランス語通訳・翻訳家。上智大学外国語学部フランス語学科卒業。訳書に、ラズロ『塩の博物誌』（東京書籍）、ペルニエ＝パリエス『ダライラマ 真実の肖像』（二玄社）、ヴァンサン『ルイ16世』、ドゥデ『チャーチル』（以上、祥伝社）、共訳書に、デュクレ『女と独裁者――愛欲と権力の世界史』（柏書房）、ビュイッソンほか『王妃たちの最期の日々』、ラフィ『カストロ』、ゲニフェイほか『王たちの最期の日々』、ビュイッソンほか『敗者が変えた世界史』、ビュイッソン『暗殺が変えた世界史』、ゲズ『独裁者が変えた世界史』、バタジオンほか『「悪」が変えた世界史』、ドゥコー『傑物が変えた世界史』、ソルノン『ロイヤルカップルが変えた世界史』（以上、原書房）、コルナバス『地政学世界地図』（監訳、東京書籍）などがある。

田辺希久子（たなべ・きくこ）…1-4、19、20章担当
青山学院大学大学院国際政治経済研究科修了。翻訳家。最近の訳書に、グッドマン『真のダイバーシティをめざして』（上智大学出版）、共訳書に、ビュイッソン『暗殺が変えた世界史』、ゲズ『独裁者が変えた世界史』、バタジオンほか『「悪」が変えた世界史』、ソルノン『ロイヤルカップルが変えた世界史』（以上、原書房）、コルナバス『地政学世界地図』（東京書籍）などがある。

村上尚子（むらかみ・なおこ）…14、16、18章担当
フランス語翻訳家、司書。東京大学教養学部教養学科フランス分科卒。訳書に、『望遠郷9 ローマ』（同朋舎出版）、オーグ『セザンヌ』、ボナフー『レンブラント』（以上、創元社、知の再発見双書）、共訳書に、ブレゼほか『世界史を作ったライバルたち』、ビュイッソンほか『敗者が変えた世界史』、ゲズ『独裁者が変えた世界史』、バタジオンほか『「悪」が変えた世界史』、ソルノン『ロイヤルカップルが変えた世界史』（以上、原書房）などがある。

酔っぱらいが変えた世界史
アレクサンドロス大王から
エリツィンまで

●

2021年 8月15日 第1刷
2021年 10月25日 第2刷

著者………ブノワ・フランクバルム
訳者………神田順子
田辺希久子
村上尚子
装幀………川島進デザイン室
本文組版・印刷………株式会社ディグ
カバー印刷………株式会社明光社
製本………小泉製本株式会社
発行者………成瀬雅人

発行所………株式会社原書房
〒160－0022 東京都新宿区新宿1－25－13
電話・代表 03(3354)0685
http://www.harashobo.co.jp
振替・00150－6－151594
ISBN978-4-562-05937-9